studio d A2

Deutsch als Fremdsprache

Vokabeltaschenbuch

Cornelsen

78:34

Vokabeltaschenbuch

Die Vokabeln finden Sie hier in der Reihenfolge ihres ersten Auftretens in der linken Spalte aufgelistet. In der mittleren Spalte können Sie die Übersetzung in Ihrer Muttersprache eintragen. In der rechten Spalte stehen die neuen Vokabeln in einem geeigneten Satzzusammenhang.

Die chronologische Vokabelliste enthält den Wortschatz von Einheit 1 bis Station 4. Wörter, die Sie nicht unbedingt zu lernen brauchen, sind *kursiv* gedruckt. Zahlen, grammatische Begriffe sowie Namen von Personen, Städten und Ländern sind in der Liste nicht enthalten.

Symbole, Abkürzungen und Konventionen

Ein • oder ein – unter dem Wort zeigt den Wortakzent:

a = kurzer Vokal
a̲ = langer Vokal

Nach den Nomen finden Sie immer den Artikel und die Pluralform.

- dient bei Nomen der Kennzeichnung der Pluralform, z. B.:
  Abend, der, -e (Plural: die Abende)
  Nomen, das, - (Plural: die Nomen)
" bedeutet: Umlaut im Plural
* bedeutet: Es gibt dieses Wort nur im Singular.
, bedeutet: Es gibt auch keinen Artikel.
Pl. bedeutet: Es gibt dieses Wort nur im Plural.
etw. etwas
jdn jemanden
jdm jemandem
Abk. Abkürzung

Die unregelmäßigen Verben werden immer mit der Partizip-II-Form angegeben. Bei den Adjektiven sind nur die unregelmäßigen Steigerungsformen angegeben.

Die Zahlen in Klammern zeigen verschiedene Bedeutungen an, in denen ein Wort vorkommt.

1 Deutsch lernen

Biografie, die, -n	....	Hast du Goethes Biografie schon gelesen?
eigene, eigene, eigene	....	Nein, ich schreibe meine eigene Biografie.
weil	....	Ich bin nie krank, weil ich viel Obst esse.
als	....	Englisch ist gar nicht leichter als Deutsch.
erkennen, erkannt	....	Erkennst du ihn nicht? Das ist doch Peter!
1⬛ *Sprachinstitut, das, -e*	....	Er lernt Englisch in einem Sprachinstitut.
einige	....	Er hat schon einige Kurse besucht.
1⬛ a *staatlich*	....	Gehen Ihre Kinder auf eine private oder auf eine staatliche Schule?
Literatur, die, -en	....	Sie liest viel. Literatur ist ihr Hobby.
erinnern	....	Erinnerst du dich noch an den Unfall?
genau	....	Ja, ich erinnere mich noch ganz genau.

***Kosmetikfirma,** die, Pl.: Kosmetikfirmen*		Models machen oft Werbung für Kosmetikfirmen.
***Kooperationspartner/in,** der/die, -/-nen*		Meine Firma hat viele Kooperationspartner.
reisen		Die Deutschen reisen gern in den Süden.
Jura, *		Sie studiert Jura.
Technik, die, -en		Von Technik verstehe ich nichts.
***Geschichte,** die, **		Sie liest viel über Politik und Geschichte.
technisch		Technische Dinge finde ich langweilig.
***Erfindung,** die, -en*		Aber die Spülmaschine ist eine tolle Erfindung ...
faszinieren (jdn)		... und das Internet fasziniert mich.
zum Beispiel (z. B.)		Ich höre gern Musik, zum Beispiel Jazz.
japanisch		Der japanische Reis schmeckt sehr gut.
Wirtschaft, die, *		Die japanische Wirtschaft ist erfolgreich.
***Exportland,** das, "-er*		Deutschland ist ein wichtiges Exportland.

Zentrale, *die, -n*	....	Viele Banken haben ihre Zentrale in Frankfurt.
Wunsch, *der, "-e*	....	+ Haben Sie einen Wunsch? – Ja, ein Bier, bitte.
1 1 b vorlesen, vorgelesen	....	Die Mutter liest dem Kind ein Buch vor.
Studium, *das, Pl.:* Studiengänge	....	Sein Studium dauert noch vier Semester.
europäisch	....	Europäische Geschichte ist interessant.
1 2 b Aussage, *die, -n*	....	Diese Aussage ist richtig.
1 3 a aussagen	....	Das Foto sagt nichts über ihn aus.
1 3 b motivieren	....	Du hast keine Lust? Wie kann ich dich motivieren?
Italiener/in, *der/die, -/-nen*	....	+ Was machen die Italiener alle hier?
Erasmus-Student/in, *der/die, -en/-nen*	....	– Das sind Erasmus-Studenten.
Auslandssemester, *das, -*	....	+ Sie verbringen zwei Auslandssemester in Deutschland.
deutsch	....	– Mögen sie die deutsche Küche?
begeistert	....	+ Ja sehr, sie sind begeistert.

zie̱hen (nach), gezo̱gen	....	In drei Monaten ziehe ich nach Köln.
gera̱de (zur Zeit)	....	+ Was machst du gerade?
Exa̱men, das, -	....	– Ich lerne für mein Examen.
Intensi̱vkurs, der, -e	....	Die Sprachschule bietet Intensivkurse an.
Pra̱ktikum, das, *Pl.:* Pra̱ktika	....	An der Uni muss jeder ein Praktikum machen.
Geri̱cht (1), das, -e	....	Ich habe einen Termin beim Gericht. Ich muss eine Aussage machen.
fantasie̱reich	....	Das ist nicht sehr fantasiereich – das ist langweilig!
komple̱x	....	Dieses Thema ist sehr komplex.
Hera̱usforderung, die, -en	....	Ich suche neue Herausforderungen.
Erfo̱lg, der, -e	....	Nur so kann ich Erfolg haben.
*Yoru̱ba, das, * (Sprache)*	....	In meiner Klasse spricht niemand Yoruba.
Fa̱chhochschule, die, -n	....	+ Studierst du an der Fachhochschule?
A̱usbildung, die, -en	....	– Nein, ich mache eine Ausbildung.
ä̱hnlich	....	Mein Bruder ist mir sehr ähnlich.

Anfang, der, "-e (am Anfang)	....	Am Anfang war das Wort ...
Universitätsdiplom, das, -e	....	Mit Universitätsdiplom findest du sicher einen Job.
Politik, die, *	....	Interessierst du dich für Politik?
vielleicht	....	Vielleicht gehe ich heute aus. Mal sehen.
diplomatisch	....	Sei diplomatisch und mach einen anderen Vorschlag.
Dienst, der, -e	....	Sie hat heute keinen Dienst. Sie hat frei.
1 4 korrigieren	....	Die Lehrerin korrigiert jeden Fehler.
direkt	....	+ Fliegst du direkt? – Nein, ich steige in Frankfurt um.
nigerianisch	....	Ich habe einen nigerianischen Freund.
1 6 *Mehrsprachigkeit, die, *	....	Für viele ist Mehrsprachigkeit ganz normal.
biografisch	....	biografisches Erzählen = über sein Leben erzählen
*Erzählen, das, *	....	Das Erzählen von Geschichten ist schön.
interviewen	....	Nach dem Spiel interviewen wir den Fußballspieler.
Interesse, das, -n	....	Ihr Interesse für Musik ist groß.

Schulfach, das, "-er	....	Ist Religion in deinem Land ein Schul-fach?
1 7 a unterstreichen, unterstrichen	....	Bitte alle Verben im Text unterstreichen.
Gitarre, die, -n	....	Kannst du Gitarre spielen?
spielen	....	Sein Vater spielt abends oft Karten.
1 7 b weiterkommen, weiter-gekommen	....	Mit diesem Problem komme ich nicht weiter. Kannst du mir helfen?

2 Mehrsprachigkeit oder Englisch für alle?

2 1 weitere	....	Sprechen Sie noch weitere Sprachen?
2 2 Rätsel, das, -	....	Wer kann dieses Rätsel lösen?
*Genuesisch, das, * (Sprache)*	....	Genuesisch verstehe ich nicht.
italienisch	....	Meine italienischen Freunde kommen aus Rom.
Dialekt, der, -e	....	Sie sprechen auch einen Dialekt.
Portugiese/Portugiesin, der/die, -n/-nen	....	Meine Schwester ist in einen Portugiesen verliebt.

heiraten		Die beiden wollen nächstes Jahr heiraten.
benutzen		Ich benutze mein Wörterbuch sehr oft.
Umgangssprache, die, -n		Die Umgangssprache lernt man auf der Straße.
Portugiesisch, das, *		Sprichst du Portugiesisch?
Jahrhundert, das, -e		1801 bis 1899: das 19. Jahrhundert
ganz		+ Ich bin ganz begeistert von dem Geschäft!
normal		− Aber das ist doch nur ein normaler Laden.
König, der, -e		Der König wohnt in einem alten Schloss.
Schiff, das, -e		Das Schiff liegt im Hafen.
segeln		Es gibt viel Wind! Komm, wir gehen segeln.
2 3 *Zitat, das, -e*		Kennst du dieses Zitat von Shakespeare?
Meinung, die, -en		Ihre politische Meinung interessiert uns.
*Muss, das, *		Das Brandenburger Tor ist ein Muss für jeden Berlin-Touristen.
*Plus, das, *		Dieses Fitness-Studio hat eine Sauna. Das ist ein großes Plus!

Vorteil, der, -e .... Die zentrale Lage ist auch ein Vorteil.

Präsident/in, der/die, ... Dieser Präsident macht gute Politik.
-en/-nen

Fremdsprache, die, -n .... Wie viele Fremdsprachen sprichst du?

2 4 **Arabisch,** das, * .... Ich kann leider kein Arabisch sprechen.

Weltsprache, die, -n .... + Ist das denn eine Weltsprache?
 – Sicher.

nützlich .... Eine Waschmaschine ist sehr nützlich.

2 6 a **Rock,** der, * (Rockmusik) .... Ich höre am liebsten Rock oder Jazz.

2 6 b **Erwachsene,** der/die, -n .... Ein Erwachsener ist mindestens 18 Jahre
 alt.

Griechisch, das, * .... + Kannst du Griechisch?

Latein, das, * .... – Nein, ich habe nur Latein gelernt.

Unterricht, der, * .... Der Unterricht geht von neun bis 13 Uhr.

Blume, die, -n .... Du hast schöne Blumen auf dem Balkon.

Metall, das, -e .... Mein Kuli ist aus Metall.

2 7 **Sẹlbsttest,** der, -s

....

populạ̈r

....

Das Ergebnis von meinem Selbsttest ist gut.
Fußball ist sehr populär in Deutschland.

3 **Rekorde**

Rekọrd, der, -e

....

Der Weltmeister hält seinen Rekord.

3 1 *fịschen*

....

Am Fluss kann man fischen.

Streịchholz, das, "-er

....

+ Rauchen Sie?
– Ja, aber ich habe keine Streichhölzer.
Achtung heiß! Du musst pusten.

pụsten

....

pfeịfen, gepfịffen

....

Ich pfeife und mein Hund kommt.

Tọn, der, "-e

....

Er kennt den Ton von mir.

3 2 **Vergleịch,** der, -e

....

Im Vergleich zu Tokio ist Berlin klein.

3 2 b **so wịe**

....

Ich möchte auch so schön sein wie sie.

3 3 **franzọ̈sisch**

....

Sie liebt die französische Küche.

brịtisch

....

Sie findet die britischen Männer elegant.

Atomuhr, die, -en .... Diese Atomuhr geht auf die Sekunde genau.

Digitaluhr, die, -en .... Ich finde meine Digitaluhr sehr schick.

Kuckucksuhr, die, -en .... Da hängt eine Kuckucksuhr an der Wand.

3 **5** **Wettbewerb, der, -e** .... Es gibt einen Wettbewerb für Fotografen.

schicken .... Hast du ihnen die Fotos schon geschickt?

Fernsehen, das, * .... Das Fernsehen sendet viele Quizshows.

3 **5** a *Begründung, die, -en* .... Du warst nicht da. Ich hoffe, du hast eine gute Begründung!

warum .... Warum kommst du immer zu spät?

verrückt .... Bei dem Wetter nur ein T-Shirt? Du bist ja verrückt!

gerade ≠ ungerade .... Zwei und vier sind gerade, drei und fünf sind ungerade Zahlen.

Rhabarbermarmelade, die, -n .... Rhabarbermarmelade schmeckt süß.

Klang, der, "-e .... Hörst du diesen schönen Klang?

Sommerregen, der, * .... + Wollen wir durch den Sommerregen laufen?

Geruch, der, "-e .... − Oh ja, ich liebe diesen Geruch nach Regen!

Kichererbse, die, -n	....	Heute Mittag gibt es Kichererbsen.
lustig	....	Der Film ist sehr lustig. Ich habe viel gelacht.
Sternschnuppe, die, -n	....	+ Gestern Abend habe ich eine Sternschnuppe gesehen.
frei haben (einen Wunsch)	....	– Dann hast du jetzt einen Wunsch frei.
entfernt	....	Wie weit ist Berlin von Köln entfernt?
3 **5** b **Umfrage,** die, -n	....	Wie sind die Ergebnisse von der Umfrage?

Übungen

Ü **1** **Kauffrau,** die, -en	....	Sie arbeitet als Kauffrau in einem Verlag.
Hauptschulabschluss, der, "-e	....	Thomas hat jetzt den Hauptschulabschluss.
Großhandelskaufmann/ -kauffrau, der/die, "-er/-en	....	Er möchte Großhandelskaufmann werden.
Gedanke, der, -n	....	Diesen Gedanken möchte ich nicht zu Ende denken.
Ü **1** c <u>ein</u>mal	....	In Kanada habe ich einmal einen Bären gesehen.

Ü4 **VHS,** die, * (*Abk. für* Volkshochschule)		+ Machst du einen Kurs an der VHS?
Tanzkurs, *der, -e*		– Ja, ich mache einen Tanzkurs.
Frühjahrssemester, *das, -*		Im Frühjahrssemester fängt der neue Kurse an.
verbessern		Du bist gut, aber du kannst dich noch verbessern.
verstehen (sich mit jdm), verstanden		Ich verstehe mich gut mit meiner Kollegin.
passend		Gibt es zu der Bluse einen passenden Rock?
Ü5 **SMS,** die, - *oder* -e		Hast du meine SMS bekommen?
Finnisch, *das, ***		Finnisch ist eine schwierige Sprache.
Kleingruppe, *die, -n*		Am besten lernt man in Kleingruppen.
komisch		Du lachst, aber ich finde das gar nicht komisch.
Grundlage, *die, -n*		Latein ist eine gute Grundlage, wenn man Grammatik lernen will.
erfahren, *erfahren*		+ Woher hat sie das erfahren? – Sie hat es gelesen.
einiges		+ Kommst du? – Nein, ich habe noch einiges zu tun.

Vorkenntnis, die, -se		+ Braucht man für diesen Kurs Vorkenntnisse?
erforderlich		– Nein, Vorkenntnisse sind nicht erforderlich.
beherrschen		Er möchte die Grammatik beherrschen.
Funktion, die, -en		Mein Handy hat sehr viele Funktionen.
Einstellung, die, -en		Ich kann z. B. neue Einstellungen auswählen.
Mailbox, die, -en		Ich habe ihm auf die Mailbox gesprochen.
Rückruf, der, -e		Jetzt warte ich auf seinen Rückruf.
Grundkurs, der, -e		Für Anfänger ist ein Grundkurs ideal.
Gesellschaftstanz, der, "-e		Gesellschaftstänze sind wieder modern.
erlernen		Sie können verschiedene Tänze erlernen.
Schrittkombination, die, -en		Einige Schrittkombinationen sind schwer.
Walking, das, *		+ Ich mache jeden Morgen Walking.
im Freien		– Im Fitness-Studio? + Nein, ich laufe im Freien.
Treffpunkt, der, -e		Wollen wir einen Treffpunkt verabreden?

Nichtschwimmer/in, der/ die, -/-nen .... Er hat Angst im Wasser, weil er Nichtschwimmer ist.

Ü6 **Webseite,** die, -n .... Seine Firma hat jetzt auch eine Webseite.

Japanisch, das, * .... + Kannst du Japanisch sprechen?

Koreanisch, das, * .... − Nein, aber ich verstehe etwas Koreanisch.

wachsen, gewachsen .... In seinem Garten wachsen schöne Rosen.

Ü8 *Gepard, der, -en* .... + Habt ihr im Zoo auch Geparden gesehen?

Wanderfalke, der, -n .... − Nein, aber einen schönen Wanderfalken.

Erde, die, * .... + Es gibt viele schöne Tiere auf der Erde!

Nacktmull, der, -s .... − Ja, aber Nacktmulls sind hässlich.

niemand .... Niemand ist perfekt!

Walhai, der, -e .... Walhaie leben im Meer.

Blauwal, der, -e .... Blauwale sind sehr intelligente Tiere.

zwar .... Einige Tiere sind zwar schön, aber nicht intelligent.

Wal, der, -e .... Aber Wale sind intelligent und schön.

Vogel Strauß, der, "*-/-e*	....	Der Vogel Strauß kann nicht fliegen.
Giraffe, die, -n	....	Giraffen leben in Afrika.
Laufvogel, der, "*-*	....	Laufvögel können nicht fliegen.

2 Familienalbum

Familienalbum, das, Pl.: *Familienalben*	....	Dieses Foto gehört ins Familienalbum.
Familienfest, das, -e	....	+ Feiert ihr oft große Familienfeste?
beglückwünschen (jdn)	....	– Nein, aber wir beglückwünschen uns immer zum Geburtstag.
<u>aus</u>drücken	....	Er hat seine Meinung klar ausgedrückt.

1 Familiengeschichten

1 1 l<u>e</u>tzter, l<u>e</u>tzte, l<u>e</u>tztes .... Letztes Jahr sind wir nach Rom gefahren.

h<u>i</u>nten .... Da hinten ist Peter. Siehst du ihn?

Mitte, die, * *(in der Mitte)* .... + Im Theater sitze ich gern in der Mitte.

vorn .... − Ich sitze lieber vorn in der ersten Reihe.

Enkelkind, das, -er .... Ich möchte einmal Enkelkinder haben.

fehlen .... + Mein Bruder ist in den USA. Er fehlt mir.

geschieden (sein) .... − Ist er verheiratet?
+ Nein, er ist geschieden.

Schwester, die, -n .... Aber meine Schwester ist verheiratet.

1 3 *rhythmisch* .... Sie macht rhythmische Gymnastik.

mitsprechen, mitgesprochen .... Sprechen Sie die Wörter laut mit.

Mutter, die, "- .... Meine Mutter ist aus einer großen Familie.

Tante, die, -n .... Deshalb habe ich vier Tanten ...

Onkel, der, - .... und drei Onkel.

Cousin/Cousine, der/die, -s/-n .... Und ich habe sehr viele Cousins und Cousinen.

Großvater/-mutter, der/die, "-/"- .... Meine Großmutter ist schon sehr alt.

Generation, die, -en .... Die Familie lebt seit vielen Generationen in diesem Haus.

Er/Sie lebe hoch! .... Das Geburtstagskind lebe hoch!

1 4 **Eltern,** die, *Pl.* .... Eltern lieben ihre Kinder.

Single, der, -s .... + Lebst du allein?
– Ja, ich bin Single.

ledig .... + Ist er verheiratet?
– Nein, er ist ledig.

2 Familie und Verwandtschaft

Verwandtschaft, die, * .... Zu Weihnachten kommt die ganze Verwandtschaft.

2 1 **Beziehung,** die, -en .... + Hast du eine gute Beziehung zu deinen Verwandten?

Großeltern, die, *Pl.* .... – Ja, meine Großeltern besuche ich oft.

Oma, die, -s .... Meine Oma backt dann leckeren Kuchen.

2 2 **da vorn** .... + Da vorn auf dem Bild ist Onkel Emil.

da hinten .... – Und da hinten sieht man dich ganz klein.

Urgroßeltern, die, *Pl.* .... + Leben deine Urgroßeltern noch?

Opa, der, -s .... – Nein, und mein Opa ist schon sehr alt.

Enkel/in, der/die, -/-nen .... Er liebt seine Enkel sehr.

Schwiegersohn, -tochter, der/die, "-e/"- .... + Du bist wirklich ein toller Schwieger-sohn!

Schwiegereltern, die, *Pl.* .... – Danke, leider denken meine Schwieger-eltern das nicht.

2 **5** a **Geschwister,** die, *Pl.* .... Hast du viele Geschwister?

Es geht so. .... + Wie geht's?
– Naja, es geht so.

2 **7** **schenken** .... Ich möchte Lena gern etwas schenken.

Geschenk, das, -e .... Hast du eine Idee für ein Geschenk?

Blumenstrauß, der, "-e .... Bring ihr doch einen Blumenstrauß mit.

2 **8** b **kariert** .... Das karierte Hemd steht dir sehr gut!

2 **9** **Laut,** der, -e .... Die Aussprache von dem Laut ist schwer.

Bratwurst, die, "-e .... + Magst du Bratwürste?

Weißwurst, die, "-e .... – Ja, aber noch lieber esse ich Weiß-würste.

Weißbier, das, -e .... Und dazu trinke ich ein Weißbier.

3 Familie heute

3 1 *Großelterndienst,* der, -e ....

+ Wie hast du den Großelterndienst gefunden?

Plakat, das, -e ....

– Ich habe ein Plakat gesehen.

Freude, die, -n ....

+ Macht dir diese Arbeit Freude?

Berufung, die, -en ....

– Ja, ich glaube, sie ist meine Berufung.

engagieren (jdn) ....

Ich habe einen Studenten als Babysitter engagiert.

Existenzhilfe, die, -n ....

Junge Eltern brauchen Existenzhilfe.

Alleinerziehende, der/ die, -n ....

Alleinerziehende haben es oft schwer.

Spaßfaktor, der, -en ....

Kinder können auch ein Spaßfaktor sein.

Langeweile, die, * ....

Ich arbeite viel. Langeweile habe ich nie.

Einsamkeit, die, * ....

Einsamkeit ist ein Problem für viele alte Leute.

3 1 a wofür ....

+ Wofür ist das Geld?

Sportprogramm, das, -e ....

– Für ein Sportprogramm für Jugendliche.

Großfamilie, die, -n ....

Großfamilien gibt es heute kaum noch.

Kinderbetreuung, die, * .... Ohne Kinderbetreuung ist Arbeit für Eltern ein Problem.

3 1 b **fit halten,** gehalten .... Er hält sich mit Sport fit.

3 1 c **aufpassen** (auf jdn oder etw.) .... Kannst du kurz auf mein Baby aufpassen?

3 2 a **Grafik,** die, -en .... Auf dieser Grafik sieht man alle Zahlen.

Priorität, die, -en .... Die Gesundheit hat für mich oberste Priorität.

Verbindung, die, -en .... Die Verbindung von Beruf und Familie funktioniert oft nicht.

problematisch .... Sie ist oft problematisch.

auswerten .... Er muss die Ergebnisse noch auswerten.

3 3 a **Treppe,** die, -n .... Wir gehen die Treppe hoch.

Boden, der, "- .... Alles liegt auf dem Boden – ein Chaos!

Mieter/in, der/die, -/-nen .... Wir haben neue Mieter im Haus.

3 3 b **gegen** .... Ich bin gegen diese Reise. Sie ist zu teuer.

Kinderlärm, der, * .... Der Kinderlärm stört mich bei der Arbeit.

Lärm, der, * .... Sei leise und mach nicht solchen Lärm!

ausziehen (1), **aus**gezogen	....	Die Wohnung ist zu klein. Ich will aus-ziehen.
klarkommen mit jdm, *klar*gekommen	....	Er kommt mit seinen Nachbarn gut klar.
akzeptieren	....	Ich kann das Angebot nicht akzeptieren.
Streit, der, -s	....	Ich habe immer Streit mit ihm.
manche	....	Manche Menschen verstehen sich nicht.
stören	....	Stört es Sie, wenn ich rauche?
Kinderwagen, der, -	....	Das Baby schläft im Kinderwagen.
gehen (um etw. oder jdn), gegangen	....	Was ist das Problem? Worum geht es?
Hof, der, "-e	....	Die Kinder spielen auf dem Hof.
Hausordnung, die, -en	....	Das ist gegen die Hausordnung.
eben	....	Es sind eben Kinder. Alle Kinder spielen.
Schluss, der, *	....	Der Schluss des Films war traurig.
Vermieter/in, der/die, -/-nen	....	Der Vermieter möchte keine Tiere im Haus haben.

Einheit 2

23

interessiert .... Sie ist sehr an der Wohnung interessiert.

Miete, die, -n .... Die Miete ist viel zu hoch.

Zuschrift, die, -en .... Er hat 50 Zuschriften auf die Anzeige bekommen.

3 **3** c **Kritik,** die, * .... + Ich kann deine Kritik nicht mehr hören!

Argument, das, -e .... – Ja, aber deine Argumente sind nicht gut.

3 **5** b **wählen** .... Ich nehme einen Salat. Und du? Hast du schon gewählt?

hoffen .... Ich hoffe, dass morgen gutes Wetter ist.

4 Familienfeiern – Einladungen

Einladung, die, -en .... Danke für die Einladung zu deiner Party!

4 **1** *Grußkarte, die, -n* .... Er schickt mir jedes Jahr eine Grußkarte.

Herzliches Beileid! .... Sie haben Ihren Mann früh verloren. Herzliches Beileid!

Geburt, die, -en .... Das Baby ist da! Es war eine leichte Geburt.

Standesamt, das, "-er .... Sie heiraten auf dem Standesamt.

Hochzeit, die, -en .... Wir heiraten, die Hochzeit ist im Mai.

Alles Gute!		Wir wünschen euch alles Gute!
Geburtstagsparty, die, -s		+ Kommst du zu meiner Geburtstags-party? – Ja, gern. Wie ist deine Adresse?
Adresse, die, -n		
Herzlichen Glückwunsch!		Herzlichen Glückwunsch zum Geburts-tag!
Viel Glück!		Viel Glück für den Test!
4 2 *Glückwunschlied, das, -er*		In der Schule singen alle ein Glück-wunschlied. Welches Lied singt ihr denn?
singen, gesungen		
stürmen		Was für ein Wind. Es stürmt!
strahlen		Er strahlt, weil er glücklich ist.
Sonnenschein, der, *		Das Wetter ist toll. Nur Sonnenschein!
vermissen		Ich mag Deutschland, aber ich vermisse meine Familie.
beisammen sein		An Omas Geburtstag sind alle bei-sammen.
Träne, die, -n		Bist du traurig? Du hast Tränen in den Augen.
4 3 *Beileid, das, **		Herzliches Beileid!

aussprechen, _ausge-_ _sprochen_		Ich habe ihr mein Beileid ausgesprochen.
gratulieren		Ich gratuliere dir herzlich.
Prüfung, die, -en		Du hast die Prüfung gut gemacht!
Jubiläum, das, Pl.: Jubiläen		Wir feiern heute unser zehnjähriges Jubiläum.
bedanken (sich)		Ich möchte mich bei allen Gästen bedanken.
Wiedersehen, das, -		Auf Wiedersehen! Bis bald!
Vielen Dank!		Du hast mir sehr geholfen. Vielen Dank!
verabschieden		Sie verabschieden sich am Bahnhof.
schriftlich		Sie hat die Gäste schriftlich eingeladen.

Übungen

Ü 2 b **einsam**
+ Bist du einsam?

zusammen sein, gewesen
− Nein, ich bin mit einem Mann
  zusammen.

zusammenleben
+ Lebt ihr auch zusammen?

Ü5 a Hut, der, "-e .... Hüte sind nicht mehr modern.

gestreift .... Das gestreifte Hemd sieht gut aus.

Ü7 **meckern** .... + Warum meckerst du immer?

Gehweg, der, -e .... – Die Leute fahren auf dem Gehweg Rad.

ärgern (sich über etw./jdn) .... + Darüber ärgerst du dich?

Ü9 *Kleinfamilie, die, -n* .... Für eine Kleinfamilie ist das Haus zu groß.

Ü11 **Fest,** das, -e .... + Du bist schick! Gehst du zu einem Fest?

Silberhochzeit, die, -en .... – Ja, meine Eltern feiern Silberhochzeit.

3 Reisen und Mobilität

Mobilität, die, * .... In seinem Beruf ist Mobilität wichtig.

Vermutung, die, -en .... Diese Vermutung ist falsch.

äußern .... Sie dürfen Ihre Meinung gern äußern.

wahrsch<u>ei</u>nlich		Der Himmel ist grau. Wahrscheinlich regnet es bald.
b<u>u</u>chen		Er hat den Flug schon gebucht.
Gegensatz, der, *"-e*		Im Gegensatz zu ihm trinkt sie lieber Wein statt Bier.
Alternat<u>i</u>ve, die, *-n*		Allein leben ist auch keine Alternative.
s<u>o</u>llen		Mein Arzt sagt, ich soll nicht rauchen.

1 Eine Reise

1 1 **<u>Au</u>toschlüssel,** der, - — Wo ist denn wieder der Autoschlüssel?

Notebook, das, *-s* — In meinem Notebook stehen alle Termine.

R<u>ei</u>sepass, der, *"-e* — Für die New-York-Reise brauchst du einen Reisepass.

S<u>o</u>nnenbrille, die, *-n* — Es ist hell. Ich brauche meine Sonnenbrille.

L<u>i</u>ppenstift, der, *-e* — Sie kauft sich einen roten Lippenstift.

Teddy, der, *-s* — Der kleine Junge liebt seinen Teddy.

R<u>ei</u>seführer, der, - — Der Tourist liest seinen Reiseführer.

Kundenkarte, die, -n	....	Die Kassiererin fragt nach der Kundenkarte.
Fahrkarte, die, -n	....	Er kauft die Fahrkarte am Bahnhof.
Messeausweis, der, -e	....	Für die Messe braucht man einen Messeausweis.
Kamm, der, "-e	....	Wo ist mein Kamm? Meine Haare sehen schlimm aus.
Portemonnaie, das, -s	....	Ich habe nie viel Geld im Portemonnaie.
Kreditkarte, die, -n	....	Kann man hier mit Kreditkarte bezahlen?
Visitenkarte, die, -n	....	Rufen Sie mich an. Hier ist meine Visitenkarte.
1 2 **Geschäftsreise,** die, -n	....	Ihr Mann ist oft auf Geschäftsreise.
Messe, die, -n	....	Als Vertriebsleiter besucht er viele Messen.
Konferenz, die, -en	....	Sie muss oft an Konferenzen teilnehmen.
Verwandte, der/die, -n	....	Manchmal besucht er seine Verwandten.
1 4 **mitnehmen,** mitgenommen	....	Hast du deine Kamera mitgenommen?

2 Eine Reise planen und buchen

2 1 a **abfahren,** abgefahren .... Der Zug fährt um 10:52 Uhr ab.

2 1 b **hin** (und zurück) .... Wir fahren am Montag hin ...

zurück .... und am Donnerstag wieder zurück.

BahnCard, die, -s .... Mit der Bahncard ist die Fahrt billiger.

Klasse (2. Klasse bei der Bahn), die, * .... Ich fahre immer 2. Klasse.

bar (zahlen) .... Möchten Sie bar oder mit Karte bezahlen?

umsteigen, umgestiegen .... Sie müssen in Dortmund umsteigen.

ausdrucken .... Hast du die Verbindung ausgedruckt?

Bitte schön! .... Hier ist Ihre Fahrkarte, bitte schön.

recherchieren .... Das weiß ich nicht. Da muss ich recherchieren.

2 2 **Reisebüro,** das, -s .... Sie hat den Flug im Reisebüro gebucht.

Flug, der, "-e .... Der Flug geht früh morgens.

Flugzeit, die, -en	....	+ Wie ist die genaue Flugzeit? – 8:36 Uhr.
ab	....	Sie fliegen ab Frankfurt.
2❸ **auswählen**	....	Wählen Sie den Wein aus, bitte.
Normaltarif, der, -e	....	Sie fahren zum Normaltarif.
Tarif, der, -e	....	Gibt es keinen günstigeren Tarif?
Hinfahrt, die, -en	....	Auf der Hinfahrt habe ich nur geschlafen.
ich hätte gern ...	....	Ich hätte gern zwei Tickets, bitte.
Fahrschein, der, -e	....	Er kauft den Fahrschein im Reisebüro.
Rückflug, der, "-e	....	Ihr Rückflug geht morgen früh.
Direktflug, der, "-e	....	Sie hat einen Direktflug gebucht.
Reservierung, die, -en	....	Haben Sie eine Sitzplatzreservierung?
2❹ **Buchung,** die, -en	....	Die Buchung im Internet ist bequem.
Dauer, die, *	....	Die Reisedauer ist per Bus länger.
2❺ *Reiseplan, der, "-e*	....	Hast du schon Reisepläne für den Sommer?

dauern		Der Flug dauert vier Stunden.
2 6 **Fahrplan,** der, "-e		+ Hast du den Fahrplan angesehen?
Regionalzug, der, "-e		– Ja, der Regionalzug fährt in zehn Minuten.
Gleis, das, -e		Der Zug fährt von Gleis 5 ab.
2 7 **aussteigen,** ausgestiegen		Wir sind da. Wir müssen aussteigen.
Fußweg, der, -e		Zum Kino sind es nur 15 Minuten Fußweg.
Platzkarte, die, -n		Im Theater gibt es Platzkarten.
Ticket, das, -s		+ Hast du die Tickets gekauft?
Sitzplatz, der, "-e		– Ja, wir haben gute Sitzplätze ganz vorne.

3 Aufforderungen und Alternativen

Aufforderung, die, -en		Nach vielen Aufforderungen hat er die Rechnung endlich bezahlt.
3 1 a **Nachricht,** die, -en		Er hatte einen Unfall. Was für eine schlechte Nachricht!
3 2 **mitbringen,** mitgebracht		Bring deinen Freund zu meiner Party mit.

3 **3**	*Latte Macchiato, der, -*		Ich trinke gern Kaffee. Am liebsten Latte Macchiato.
	Espresso, der, -/i		Nach dem Essen trinkt sie einen Espresso.
	koffeinfrei		Abends trinkt er nur koffeinfreien Kaffee.
	Süßstoff, der, *		Zucker macht dick. Ich nehme Süßstoff.
	sofort		+ Kommst du? – Ja, ich komme sofort.
	Quizshow, die, -s		Im Fernsehen gibt es viele Quizshows.

4   **Gute Fahrt!**

	Gute Fahrt!		Gute Reise! Gute Fahrt!
4 **1**	*S-Bahn-Impression, die, -en*		Diese Fotos sind S-Bahn-Impressionen.
4 **1** b	*Stillstand, der, **		Stillstand ≠ Bewegung
	Neubau, der, Pl.: Neubauten		Das ist ein Neubau aus den 90er Jahren.
4 **2**	**schauen**		Ich schaue gern aus dem Fenster.
4 **3** a	**schwierig**		Die deutsche Grammatik ist schwierig.

Maulwurf, der, "-e		Euer Garten sieht schlimm aus. Sind da Maulwürfe?
Meise, die, -n		Meisen sind süße kleine Vögel.
beschließen, *beschlossen*		Wir ziehen um. Das haben wir gestern beschlossen.
verreisen		Im Urlaub möchten wir verreisen.
ob		Wisst ihr schon, ob ihr mit dem Auto fahrt?
dabei		Er spielt Tennis. Er hat viel Spaß dabei.
Ameise, die, -n		Ameisen sind kleine Tiere, die viel arbeiten.
verzichten		Ich brauche kein Auto. Ich verzichte darauf.
weise		Meine Großmutter kennt das Leben. Sie ist eine weise Frau.
4 4 **Vergangenheit, die, ***		Du denkst zu viel an die Vergangenheit.
Zukunft, die, *		Die Zukunft liegt vor dir. Sie ist wichtiger!
vorhaben		Was hast du denn in der Zukunft vor?

Übungen

Ü 2 **Wiederholung, die, -en**		Diese Übung ist eine Wiederholung.

Ü3 **aus**machen	....	Kannst du bitte das Radio ausmachen?
Doppelzimmer, das, -	....	Wir haben ein Doppelzimmer reserviert.
Blick, der, -e	....	Wir haben einen schönen Blick aufs Meer.
(Schweizer) Franken, der, -	....	In der Schweiz zahlt man mit Schweizer Franken.
Ü5 a **Dusche,** die, -n	....	Es ist heiß. Ich möchte unter die Dusche.
Klimaanlage, die, -n	....	Das Hotel hat eine Klimaanlage.
Minibar, die, -s	....	+ Hatten Sie etwas aus der Minibar? – Ein Bier.
Pool, der, -s	....	Morgens gehe ich im Pool schwimmen.
Tennisplatz, der, "-e	....	Es gibt auch einen Tennisplatz.
Animateur/in, der/die, -e/-nen	....	Im Urlaub hatten wir gute Sport-Animateure.
Ü7 **Nacht,** die, "-e	....	In der Nacht hatte ich einen Traum.
stellen (2)	....	Er stellt das Bier in den Kühlschrank.
Anmeldeformular, das, -e	....	Bitte schreiben Sie Ihren Namen und Ihre Adresse auf das Anmeldeformular.
Ü8 a kopieren	....	Ich brauche diesen Text. Kann ich ihn schnell kopieren?

abschließen, ạbgeschlossen .... Du musst die Tür noch abschließen.

Ü**⑩** **Hụndeschlitten,** *der, -* .... + Wir sind mit dem Hundeschlitten
gefahren.

Elektrizität, *die, ** .... – Hattet ihr dort in der Natur Elektrizität?

Feuer, *das, -* .... + Nein, wir haben ein Feuer gemacht.

Station 1

1 Berufsbild selbstständige Übersetzerin

selbstständig .... + Bist du angestellt?
– Nein, ich bin selbstständig.

Übersẹtzer/in, *der/die, -/-nen* .... Er arbeitet als Übersetzer bei Gericht.

Geschäftsidee, *die, -n* .... Das war eine erfolgreiche Geschäftsidee.

1**②** **Berụfswahl,** *die, ** .... Die Berufswahl ist heute schwierig.

Magịster, *der, * (akad. Titel)* .... In welchem Fach hast du deinen Magister
gemacht?

Übersẹtzung, *die, -en* .... Hast du eine Übersetzung von dem Buch?

dolmetschen	....	Ich spreche kein Russisch. Wer kann dolmetschen?
ausländisch	....	Hier gibt es viele ausländische Studenten.
Magisterarbeit, die, -en	....	Er muss seine Magisterarbeit schreiben.
tippen	....	Den Text tippt er am Computer.
Kommunikationsexperte/ -expertin, der/die, -n/-nen	....	Firmen brauchen erfahrene Kommunikationsexperten.
anfragen	....	Haben Sie bei der Firma schon den Termin angefragt?
Bedienungsanleitung, die, -en	....	Wo ist die Bedienungsanleitung von meinem Handy?
anstrengend	....	Die Arbeit ist anstrengend.
konzentrieren (sich)	....	Ich muss mich konzentrieren, sei bitte leise.
bekannt	....	Madonna ist überall auf der Welt bekannt.
Lettisch, das, *	....	+ Sprechen Sie Lettisch?
Albanisch, das, *	....	– Nein, aber ich spreche Albanisch.
Auftrag, der, "-e	....	Der Firma geht es gut. Sie hat viele Aufträge.

praktisch		Eine Spülmaschine ist sehr praktisch.
Feierabend, der, -e		Die Arbeit ist vorbei. Endlich Feierabend!
regelmäßig		Sie geht regelmäßig jeden Montag schwimmen.
Angestellte, der/die, -n		Er arbeitet als Angestellter bei Siemens.

1 4 *Wörterbuchauszug, der, "-e* .... Lesen Sie diesen Wörterbuchauszug.

Auszug, der, "-e .... Ich habe nur einen Auszug gelesen.

1 5 a *Vorbereitung, die, -en* .... Hilfst du mir bei den Vorbereitungen für die Party?

zu dritt .... Wir sind zu dritt: Max, Luise und ich.

Institutsleiter/in, der/die, -/-nen .... Der Institutsleiter ist der Chef vom Institut.

reden .... Der Präsident redet nur, aber er tut nichts.

1 6 *Zeile, die, -n* .... Ich schreibe dir schnell ein paar Zeilen.

2 Grammatik – Spiele – Training

2 1 a *dick* .... Er ist dick, weil er zu viel Schokolade isst.

2 1 b *Kombination, die, -en*	....	Diese Kombination passt nicht zusammen.
2 2 *Gedächtnisspiel, das, -e*	....	Wir spielen ein Gedächtnisspiel.
2 2 a *merken (sich)*	....	Er hat sich meine Telefonnummer gemerkt.
möglich	....	Es ist nicht möglich, sich alles zu merken.
2 2 c *herkommen, hergekommen*	....	Komm mal her zu mir!
2 3 *Selbstevaluation, die, -en*	....	Wie ist das Ergebnis deiner Selbstevaluation?
2 3 b *männlich*	....	Männer sind männlich.
weiblich	....	Frauen sind weiblich.
2 4 *Wissenschaftler/in, der/die, -/-nen*	....	Er ist Wissenschaftler an der Uniklinik.
schlank	....	Sie ist groß und schlank.
mindestens	....	Die Fahrt dauert mindestens zwei Stunden.

3 1 *Filmabschnitt, der, -e* .... Sie sehen einen kurzen Filmabschnitt.

Filmteam, das, -s .... Das Filmteam hat gut zusammen gearbeitet.

3 2 *öffnen* .... Kannst du bitte das Fenster öffnen?

Kopie, die, -n .... Kannst du mir eine Kopie von der Seite machen?

3 8 *zurückkommen, zurück-gekommen* .... Er kommt heute aus Kuba zurück.

3 9 *Obstanbaugebiet, das, -e* .... Im Obstanbaugebiet wächst viel Obst.

Apfelbaum, der, "-e .... Wir haben einen Apfelbaum im Garten.

Erntezeit, die, -en .... Die beste Erntezeit ist im Herbst.

Apfeldiplom, das, -e .... Du hast ein Apfeldiplom? Warst du im Alten Land?

Obstbauer, der, -n .... Er arbeitet als Obstbauer.

Bauer, der, -n .... Ich komme vom Land. Mein Vater ist Bauer.

4 Magazin: Mehrsprachigkeit und Sprachen lernen

Magazin, das, -e	....	Hast du das Magazin schon gelesen?
traditionell	....	Hier gibt es noch traditionelle Küche.
mehrsprachig	....	Die Schweiz ist ein mehrsprachiges Land.
Bildung, die, *	....	Junge Leute brauchen eine gute Bildung.
Wissenschaft, die, -en	....	Medizin ist eine wichtige Wissenschaft.
Schulbildung, die, *	....	Es gibt keine Alternative zur Schul-bildung.
Diplomatie, die, *	....	Sie hat das Problem mit viel Diplomatie gelöst.
Amtssprache, die, -n	....	Französisch ist in Algerien die Amts-sprache.
Sprichwort, das, "-er	....	Dieses Sprichwort ist sehr weise.
kämpfen	....	Ein Sportler muss kämpfen können.
drehen	....	Das Bild hängt falsch. Du musst es drehen.
entdecken	....	Ich habe ein schönes Café entdeckt.
Kindheit, die, *	....	Er hatte eine schlimme Kindheit.

Erfahrung, die, -en	....	Jede Reise ist eine neue Erfahrung.
körperlich	....	Körperliche Arbeit ist anstrengend.
wunderbar	....	Der Urlaub war toll, einfach wunderbar!
begegnen	....	Sind wir uns schon irgendwo begegnet? Ich kenne Sie.
Lernhilfe, die, -n	....	Dieses Vokabeltaschenbuch ist eine Lernhilfe.
pro (2) ≠ contra	....	für ≠ gegen
Medium, das, Pl.: Medien	....	Diese Nachricht war in allen Medien.
mailen	....	Ich maile dir die Bilder als Datei.
downloaden	....	Du kannst die Bilder dann downloaden.
skandinavisch	....	In den skandinavischen Ländern ist es kalt.
Lerner/in, der/die, -/-nen	....	Alle Lerner benutzen ein Wörterbuch.
contra ≠ pro	....	gegen ≠ für
Katastrophe, die, -n	....	Das Haus ist voll Wasser, eine Katastrophe!
überall	....	Englisch lernt man überall auf der Welt.

Imbiss, *der, -e*	....	Komm, wir essen schnell etwas am Imbiss.
Schuster, *der, -*	....	Der Schuster repariert die kaputten Schuhe.
klingen, *geklungen*	....	Es klingt sehr schön, wenn sie singt.
aufnehmen, *aufgenommen*	....	Er nimmt das Lied auf Kassette auf.
Kommentar, *der, -e*	....	Er schreibt einen kritischen Kommentar.
malen	....	Picasso hat interessante Bilder gemalt.

4 Aktiv in der Freizeit

aktiv	....	Sie hat viele Hobbys. Sie ist sehr aktiv.
positiv	....	Ich denke positiv. Das Leben ist schön.
negativ	....	Ich denke negativ. Die Welt ist schlecht.
überrascht	....	Was machst du hier? Ich bin überrascht.

reagieren (auf etw.)		Er hat sehr überrascht auf den Besuch reagiert.
wenige		Hier gibt es nur wenige Touristen.
emotional		Er ist ein emotionaler Mensch.

1 Hobbys

1 1

Software, die, *		Mein Computer hat eine moderne Software.
Berater/in, der/die, -/-nen		Der Berater hat sie mir empfohlen.
LKW-Fahrer/in, der/die, -/-nen		Er ist LKW-Fahrer von Beruf.
Fahrer/in, der/die, -/-nen		Als Fahrer ist er immer unterwegs.
reiten, geritten		Ich mag Pferde. Als Kind bin ich geritten.
Marathon, der, -s		Sie trainiert für den nächsten Marathon.

1 2

testen		Wir müssen diese neue Software testen.
Beratung, die, -en		Wie geht das? Ich brauche Beratung.
regelmäßig		Er geht regelmäßig zum Sport.

Besucher/in, der/die, -/-nen		Es kommen viele Besucher in das Museum.
aufbauen		Sie bauen das kaputte Haus wieder auf.
Arbeiter/in, der/die, -/-nen		Der Arbeiter freut sich auf seinen Urlaub.
allein lassen, gelassen		Ich kann mein Kind nicht allein lassen.
Streckenrekord, der, -e		Sie ist einen neuen Streckenrekord gelaufen.
Sieger/-in, der/die, -/-nen		Die Siegerin ist glücklich.
bereits		+ Ich war bereits dreimal in Köln. Und Sie?
Mal, das, -e		– Ich bin zum ersten Mal hier.
Favorit/in, der/die, -en		Er hat oft gewonnen. Er ist der Favorit.
Vorbeikommen, das, *		Das Vorbeikommen an ihm ist unmöglich.
Kilometer, der, -		Ein Kilometer ist 1000 Meter lang.
Sekunde, die, -n		Eine Minute hat 60 Sekunden.
insgesamt		Insgesamt habe ich 687 Bücher.

Läufer/-in, der/die, -/-nen .... Im Park sieht man morgens viele Läufer.

1 3 *Toncollage, die, -n* .... Bitte hören Sie die Toncollage.

Collage, die, -n .... Das ist eine Collage aus verschiedenen Aufnahmen.

Chor, der, "-e .... Sie singt im Chor.

Motorrad, das, "-er .... Er fährt Motorrad.

Salsa, die, * .... Sie tanzen Salsa.

Klavier, das, -e .... Er spielt Klavier. Am liebsten Mozart.

Briefmarke, die, -n .... Er sammelt Briefmarken.

sammeln .... Sie sammelt schöne Vasen.

1 4 *Hard-Rock-Band, die, -s* .... Er ist Musiker in einer Hard-Rock-Band.

2 Freizeit und Forschung

Forschung, die, -en .... Die medizinische Forschung ist wichtig.

2 1 *Forschungsinstitut, das, -e* .... Der Wissenschaftler arbeitet an einem Forschungsinstitut.

70er Jahre, die, *Pl.* .... Er mag die Musik aus den 70er Jahren.

elektronisch		Sie hasst elektronische Musik.
Freizeitmedium, *das,* *Pl.: Freizeitmedien*		Ein Videospiel ist ein Freizeitmedium.
DVD, die, -s		Wollen wir einen Film auf DVD sehen?
stressig		Die Arbeit ist stressig.
ausschlafen, ausgeschlafen		Ich bin müde und möchte mal ausschlafen.
Wellness, die, *		Morgen mache ich einen Wellness-Tag.
entspannen (sich)		Nach der Arbeit will ich mich entspannen.
Yoga, das, *		Beim Yoga kann ich den Stress vergessen.
Sauna, die, *Pl.:* Saunen		Im Winter gehe ich oft in die Sauna.
Trend, der, -s		Die Mode der 80er liegt wieder im Trend.
Jahrtausend, das, -e		In welchem Jahrtausend leben wir?
früher		Früher gab es nicht so viele Autos.
sparen		Ich kaufe das nicht, ich muss sparen.
skaten		Im Sommer gehe ich gern skaten.

treffen, getroffen	....	Wollen wir uns im Café treffen?
beschäftigen (sich mit etw.)	....	Er beschäftigt sich viel mit Literatur.
Haustier, das, -e	....	+ Hast du ein Haustier? – Ja, eine Katze.
Essen, das, -	....	Kommt, das Essen ist fertig!
out (sein)	....	Alkohol und Zigaretten sind out, Wellness ist in!
Bundesbürger/in, der/die, -/-nen	....	38 % der Bundesbürger interessieren sich nicht für Politik.
Erfahrung, die, -en	....	Jede Reise ist eine neue Erfahrung.
Leiter/in, der/die, -/-nen	....	Sie ist die Leiterin der Schule.
2 3 **unterschreiben,** unter- schrieben	....	+ Muss ich dieses Dokument unter- schreiben?
Unterschrift, die, -en	....	– Ja bitte, ich brauche Ihre Unterschrift.
spontan	....	Gestern sind wir spontan tanzen gegangen.
2 4 **oh**	....	Oh, was machst du denn hier?
2 5 **umziehen** (sich)	....	Diese Hose ist zu warm, ich ziehe mich um.

schminken	....	Du siehst gut aus. Hast du dich geschminkt?
rasieren	....	Er rasiert sich jeden Morgen.
duschen	....	Nach dem Sport muss ich mich duschen.
eincremen	....	Ich creme mich immer mit einer Lotion ein.
abtrocknen	....	Nach dem Duschen trocknet sie sich ab.
2 8 a **Schema,** das, *Pl.:* Schemata	....	Dieses Wort passt nicht in das Schema.
2 8 b **ungesund** ≠ gesund	....	Schokolade ist ungesund, Obst ist gesund.
surfen	....	Es ist windig. Wollen wir surfen gehen?

3 Leute kennen lernen – im Verein

Verein, der, -e	....	Bist du Mitglied in einem Verein?
Zusammensein, das, *	....	Mir ist das Zusammensein mit Freunden wichtig.
renovieren	....	Er muss seine Wohnung renovieren.
Vereinsheim, das, -e	....	Die Mitglieder treffen sich im Vereinsheim.

3 1 a *Tierschutzverein, der, -e* .... Sie ist im Tierschutzverein, weil sie Tiere mag.

3 1 b **Tanzschule,** die, -n .... Er lernt Salsa in der Tanzschule.

Tennisverein, der, -e .... Sie spielt Tennis im Tennisverein.

Handballverein, der, -e .... Er spielt Handball im Handballverein.

*Vereinsleben, das, ** .... Das Vereinsleben macht ihnen Spaß.

Gesangsverein, der, -e .... Sie singen im Gesangsverein.

Turnverein, der, -e .... Er turnt im Turnverein.

gründen .... Wollen wir einen Verein gründen?

politisch .... Es gibt viele politische Vereine.

engagieren (sich) .... Er engagiert sich für alte Menschen.

Kaninchenzüchter/in, der/die, -/-nen .... Mein Opa war Kaninchenzüchter.

Naturschützer/in, der/die, -/-nen .... Die Naturschützer kämpfen für die Umwelt.

3 2 **Dorf,** das, "-er .... In unserem Dorf gibt es 4000 Einwohner.

mindestens		Er raucht mindestens 20 Zigaretten am Tag.
Reitverein, der, -e		Sie ist im Reitverein. Sie liebt Pferde.
Feuerwehr, die, -en		Hilfe! Bitte holen Sie die Feuerwehr!
verbringen, verbracht		Diesen Urlaub habe ich am Meer verbracht.
Reitturnier, das, -e		Sie hat das Reitturnier gewonnen.
Radrennen, das, -		Er trainiert für das Radrennen.
Billard, das, *		In dieser Kneipe kann man Billard spielen.
Sportverein, der, -e		Bist du Mitglied in einem Sportverein?
3**3** m**a**len		Picasso hat interessante Bilder gemalt.
3**4** wom**i**t		Womit beschäftigst du dich am liebsten?

4 Das (fast) perfekte Wochenende

perfekt		Sie sprechen ja perfekt Deutsch!
4**1** a p**u**tzen		Samstags putzen wir immer die Wohnung.
Mann! *(Ausruf)*		Mann! Kannst du nicht aufpassen?

wütend		Mein Chef ist wütend, weil ich oft zu spät komme.
4❶b *Reaktion, die, -en*		Ich kann seine wütende Reaktion verstehen.
furchtbar		Kannst du das ausmachen? Die Musik ist furchtbar!
wieso		Wieso bist du zu Fuß gekommen?
Echt? (= Wirklich?)		+ Das Auto ist kaputt gegangen. – Echt?
Ach du Schande!		Ach du Schande, ein Unfall!
Das gibt's doch gar nicht!		Das gibt's doch gar nicht, das kann ich nicht glauben!
So ein Pech!		Das neue Auto ist kaputt, so ein Pech!
erholen (sich)		Im Urlaub kannst du dich richtig erholen.
Biergarten, der, "-		Bei gutem Wetter sitzen wir im Biergarten.
Das hört sich gut an.		Eine tolle Idee, das hört sich gut an.
4❷ **reden**		Männer reden viel weniger als Frauen.
ständig		Er redet ständig über Politik.
wovon		Wovon sprecht ihr so leise?

4 3	_Ausruf,_ der, -e	....	„Hurra" = ein Ausruf bei Freude
4 3 a	**Mist!**	....	Ich habe die Schlüssel vergessen. Mist!
	schneiden, geschnitten	....	Aua, ich habe mich geschnitten!
	Spinne, die, -n	....	An der Wand sitzt eine dicke Spinne.
	gewinnen, gewonnen	....	Sie haben das Fußballspiel gewonnen.
4 3 b	**Gefühl,** das, -e	....	Liebe ist ein starkes Gefühl.
4 4	**Tschechisch,** das, *	....	Sprechen Sie Tschechisch?
4 5	**Einkaufen,** das, *	....	Zum Einkaufen braucht man Geld.

Übungen

Ü 1 a	_Eisschwimmer/in, der/die, -/-nen_	....	Eisschwimmer sind doch verrückt!
	Eisschwimmen, das, *	....	Das Eisschwimmen ist sehr gesund.
	vorbereiten	....	Er muss sich auf die Prüfung vorbereiten.
	Winterschwimmer/in, der/die, -/-nen	....	Winterschwimmer mögen Kälte.

Einheit 4

53

	***Badekleidung,** die, *￼*	Nimm Badekleidung mit, wir wollen schwimmen gehen.
Ü**5**	**Medium,** das, *Pl.*: Medien	Das Internet ist ein wichtiges Medium.
	***Nichtstun,** das, *￼*	Er liebt das Nichtstun am Sonntag.
Ü**6** a	*Unpünktlichkeit ≠ Pünktlichkeit, die, *￼*	Seine Unpünktlichkeit macht mich wütend.
	endlich	Da bist du ja endlich, es ist spät!
Ü**7**	*zum Glück*	Zum Glück hatten wir gutes Wetter.
Ü**9** b	**Weihnachtsfeier,** die, -n	Unsere Firma macht jedes Jahr eine Weihnachtsfeier.
	***Alltagsdeutsch,** das, *￼*	Alltagsdeutsch kann er schon gut verstehen.
	***Sprachverein,** der, -e	Er ist Mitglied in einem Sprachverein.
	***Kulturverein,** der, -e	Unser Kulturverein organisiert viele Feste.
	offen (sein für etw.)	Wir sind immer offen für neue Ideen.

5 Medien

persönlich		Ich habe ein persönliches Gespräch mit dem Chef.
Mitteilung, die, -en		Ich habe eine wichtige Mitteilung für ihn.
reklamieren		Das Radio funktioniert nicht, ich möchte es reklamieren.

1 Medien gestern und heute

ägyptisch		Die ägyptische Kultur ist sehr alt.
Schriftzeichen, das, -		Kannst du diese Schriftzeichen lesen?
Digitalkamera, die, -s		Er macht Fotos mit der Digitalkamera.
PDA, der, -s (Persönlicher Digitaler Assistent)		Ohne seinen PDA vergisst er alle Termine.
Grammophon, das, -e		Meine Großmutter hatte ein Grammophon.
Schallplatte, die, -n		Ich habe als Kind noch Schallplatten gehört.
MP3-Player, der, -		Heute benutze ich einen MP3-Player.
1 nutzen		+ Wie oft nutzt du deinen DVD-Player?
selten		– Sehr selten, vielleicht zweimal pro Jahr.

2 1 **stecken** (in etw.) .... Steck das Geld ins Portemonnaie!

aufkleben .... Er klebt die Briefmarke auf den Umschlag.

Absender, der, - .... + Von wem ist der Brief? Steht da ein Absender?

Umschlag, der, "-e .... – Nein, auf dem Umschlag steht nichts.

vorbeilaufen, vorbei-
gelaufen .... Du bist an mir vorbeigelaufen, aber du hast mich nicht gesehen.

Briefkasten, der, "- .... Sie steckt den Brief in den Briefkasten.

Post, die, * .... Ich muss noch zur Post, ein Paket abgeben.

ausziehen (2), ausgezogen .... Mir ist warm, ich ziehe die Jacke aus.

einwerfen, eingeworfen .... Kannst du den Brief für mich einwerfen?

unangenehm ≠ angenehm .... Das Gespräch mit dem Chef war unangenehm.

Entschuldigung, die, -en .... Das ist keine Entschuldigung!

2 2 b **werfen,** geworfen .... Das Kind wirft den Ball auf die Straße.

2 3 **Passwort,** das, "-er .... Mist, ich habe das Passwort vergessen!

2 4 **Schatz,** der, * *(Kosename)* .... Ich liebe dich, mein Schatz.

erinnern (jdn an etw.) .... Die Sekretärin erinnert den Chef an den Termin.

besprechen, besprochen (etw. mit jdm) .... Er bespricht das Problem mit ihr.

Lust, die, * .... + Hast du Lust auf ein Video?

Vorschlag, der, "-e .... – Ja, das ist ein guter Vorschlag!

2 5 b **halten,** gehalten .... Der Zug hält hier, ich muss aussteigen.

anhören .... Er hört sich die CD an.

2 6 **übertreiben,** übertrieben .... Glaub ihm nicht, er übertreibt gern.

E-Mail-Adresse, die, -n .... Haben Sie meine E-Mail-Adresse?

Rückantwort, die, -en .... Ich hoffe auf schnelle Rückantwort.

2 7 **heben,** gehoben .... Die Tasche ist sehr schwer. Ich kann sie nicht mal heben!

3 Einkaufen im Internet

3 1 **Ze̲itschrift,** die, -en .... Beim Arzt lese ich immer Zeitschriften.

   Spo̲rtartikel, der, - .... Das ist ein Geschäft für Sportartikel.

   Vi̲deofilm, der, -e .... Wollen wir einen Videofilm sehen?

   Kä̲ufer/in, der/die, -/-nen .... Käufer zahlen oft zu hohe Preise.

   Hälfte, die, -n .... die Hälfte = 50 %

   Computernutzer/in, der/die, -/-nen .... Fast jeder ist heute ein Computernutzer.

   Nu̲tzer/in, der/die, -/-nen .... Das Internet hat Millionen Nutzer.

   informi̲eren .... Informiere dich zuerst über das Produkt.

   Ne̲tz, das, * (*Internet*) .... Im Netz finden Sie interessante Angebote.

3 2 *Symbo̲l,* das, -e .... Was bedeutet dieses Symbol?

   Befe̲hl, der, -e .... Ein Computer reagiert nur auf Befehle.

   le̲er .... Da steht nichts. Die Seite ist leer.

   Doku̲ment, das, -e .... Er will das Dokument lesen.

öffnen		Er öffnet das Dokument.
speichern		Er speichert das Dokument.
Empfänger/in, der/die, -/-nen		Die Empfängerin speichert die Mail.
drucken		Sie druckt das Dokument.
Rechtschreibung, die, *		Ist der Text in alter oder neuer Rechtschreibung?
ausschneiden, <u>ausge</u>schnitten		Du kannst den Text ausschneiden ...
einfügen		... und an einer anderen Stelle einfügen.
3 **3** *Informatiker/in, der/die, -/-nen*		Er ist Informatiker von Beruf.
praktisch		Eine Spülmaschine ist sehr praktisch.

4 Fragen und Nachfragen

Nachfrage, die, -n		Im Kurs gibt es viele Nachfragen.
4 **3** a **anders**		Ich bin so, du bist anders.
4 **3** b **abfragen**		Er fragt seine Mails ab.

Datei, die, -en .... + Hast du die Datei gespeichert?

löschen .... – Nein, ich habe sie gelöscht.

weiterleiten .... Er leitet die Mail an seine Freunde weiter.

Kopfhörer, *Pl.* .... Sie hört Musik mit Kopfhörern.

abnehmen, abgenommen .... Beim Schwimmen nimmt er die Brille ab.

5 Schnäppchenjagd

Schnäppchenjagd, die, -en .... Am Samstag war ich auf Schnäppchenjagd.

5 **1** *weltweit* .... Das Internet funktioniert weltweit.

Marktplatz, der, "-e .... Unser Dorf hat einen schönen Marktplatz.

gebraucht .... Das gebrauchte Auto kostet nur 500 Euro.

Schnäppchen, das, - .... So billig? Das ist ja echt ein Schnäppchen.

deutschsprachig .... Liest du auch deutschsprachige Bücher?

Kunst, die, * *oder:* Künste .... Er interessiert sich für moderne Kunst.

Schmuck, der, * .... Meine Oma hat sehr wertvollen Schmuck.

5 2 variieren	....	Man kann dieses Pizzarezept variieren.
Kochbuch, das, "-er	....	Ohne Kochbuch kann ich nicht kochen.
Spielzeug, das, -e	....	Ein Ball, ein Teddy ... = Spielzeug.
5 4 *Reklamation,* die, -en	....	+ Ich habe eine Reklamation. Diese Kamera funktioniert nicht. – Haben Sie den Kassenzettel noch?
Kassenzettel, der, -	....	
Kuckuck, der, -e	....	Die Kinder hören im Wald einen Kuckuck.
Garantie, die, -n	....	Sie haben zwei Jahre Garantie auf diese Kamera.
unglaublich	....	Wie ist das möglich? Das ist unglaublich!
umtauschen	....	Die Hose passt nicht. Kann ich sie umtauschen?
Tierarzt/Tierärztin, der/die, *Pl.*: Tierärzte/Tierärztinnen	....	Mein Hund ist krank. Ich muss zum Tierarzt.
5 5 **zurückbekommen,** zurückbekommen	....	Hast du das Geld zurückbekommen?
5 6 *Goldring,* der, -e	....	Zur Hochzeit schenkt er ihr einen Goldring.
Karat, das, -(e)	....	Der Ring hat 16 Karat.

Chiffre, die, -n .... Schreiben Sie mir! Chiffre 56AP585.

wertvoll .... Der Ring ist sehr wertvoll.

Briefmarkensammlung,
die, -en .... Willst du meine Briefmarkensammlung sehen?

BRD, die, * (*Abk. für Bundes-*
republik Deutschland) .... Die BRD ist eine Demokratie. Sie hat 16 Bundesländer.

VW-Käfer, der, - (Automarke) .... Früher fuhren viele Leute einen VW-Käfer.

Heimtrainer, der, - .... Er trainiert oft auf seinem Hometrainer.

gut erhalten .... Der Tisch ist 20 Jahre alt, aber gut erhalten.

5 7 *Anfrage, die, -n* .... Ich habe viele Anfragen auf meine Anzeige bekommen.

5 7 a PC, der, -s .... Sie arbeitet viel am PC.

Opel, der, - (Automarke) .... Er fährt einen Opel.

antik .... Dieser Schrank ist nicht nur alt, er ist antik.

5 8 Flohmarkt, der, "-e .... Er kauft oft alte Bücher auf dem Flohmarkt.

Übungen

Ü1 **Programm,** das, -e .... Das Programm im Fernsehen ist schlecht.

Volksempfänger, der, - .... Früher hieß das Radio „Volksempfänger".

Radiosender, der, - .... Welchen Radiosender hörst du am liebsten?

kombinieren .... Den Rock kann man gut mit einer Bluse kombinieren.

Schallplattenspieler, der, - .... Mein Schallplattenspieler ist schon alt.

Sendung, die, -en .... Diese Quizshow ist eine lustige Sendung.

Ü2 a **Fax,** das, -e .... Sie schickt dem Kunden ein Fax.

drücken .... Du musst diese rote Taste drücken.

einlegen .... Er legt die Kassette ein.

nummerieren .... Die Plätze im Theater sind nummeriert.

Ü2 b *Dokumentation, die, -en* .... + Gestern habe ich eine Dokumentation über Frauen in Afrika gesehen.

Krimi, der, -s .... – Ich sehe am liebsten Krimis.

Ü4 *Weltrekord, der, -e* .... Schon wieder ein neuer Weltrekord, dieser Sportler ist fantastisch!

Brite/Britin, der/die, -n/-nen		+ Sind Sie Brite? – Ja, ich komme aus London.
simsen		Tschüss, wir telefonieren oder simsen!
<u>Ü</u>bung macht den M<u>ei</u>ster.		Du machst viel weniger Fehler als am Anfang. Übung macht den Meister!
Ü6 **eingeben,** <u>ei</u>ngegeben		Sie gibt die Vokabeln in den Computer ein.
einschalten		Beim Frühstück schalte ich das Radio ein.
Ü10 **Plastik,** das, *		Der Becher geht nicht kaputt. Er ist aus Plastik.
verschenken		Ich verschenke gern Bücher.
Pop, der, *		+ Magst du Pop? – Nein, ich höre lieber Rock.
nachdenken, <u>na</u>chgedacht		Über diese Frage muss ich nachdenken.
Ü10 b **wiederfinden,** wieder- gefunden		Zum Glück hat er die Autoschlüssel wiedergefunden.
Vertrag, der, "-e		Hast du den Vertrag unterschrieben?
hinterlassen, hinterlassen		Sie ist weg, aber sie hat einen Brief hinterlassen.
Ü11 **DVD-Player,** der, -		Mein DVD-Player kann auch aufnehmen.

wor<u>auf</u>	....	Worauf hast du heute Abend Lust?
Sp<u>ei</u>sekarte, die, -n	....	Was willst du essen? Hast du schon in die Speisekarte geschaut?
K<u>e</u>nnenlernen, das, *	....	Das Kennenlernen war sehr nett.

1 Donnerstag – Ausgehtag

<u>Au</u>sgehtag, der, -e	....	An meinem Ausgehtag bringt mein Mann die Kinder ins Bett.

1 1 b d<u>o</u>nnerstags

	....	Donnerstags geht sie immer zum Sport.
Abonnement, das, -s	....	Ich habe ein Abonnement für das Theater.
After-Work-Party, die, -s	....	+ Kommst du mit auf die After-Work-Party?
unterh<u>a</u>lten (sich), unter-halten	....	– Nein, da kann man sich nicht unterhalten.
Jazz, der, *	....	+ Hörst du gern Jazz? – Nein, lieber Pop.

dah<u>i</u>n		Die Disco ist toll. Ich gehe gern dahin.
St<u>a</u>mmtisch, der, -e		Man trifft sich beim Stammtisch.
K<u>a</u>rten spielen		+ Spielt ihr gern Karten?
Sk<u>a</u>t, der, -e oder -s		– Ja, am liebsten spielen wir Skat.
was so l<u>o</u>s ist		Mal gucken, was so los ist in der Stadt.

1 3 alkoh<u>o</u>lfrei

Ein alkoholfreies Bier bitte, ich muss noch fahren.

ich w<u>ü</u>rde gern ...

+ Ich würde gern ins Kino gehen.

g<u>u</u>cken

– Welchen Film möchtest du denn gucken?

2 Im Restaurant

2 2 S<u>a</u>hnehaube, die, -n		Hmm – heiße Schokolade mit Sahnehaube!
Ger<u>i</u>cht (2), *das, -e*		Auf der Speisekarte stehen viele Gerichte.
Pl<u>a</u>tte, die, -n		Auf der Party gibt es leckere Wurstplatten.
B<u>a</u>uernbrot, *das, -e*		Dieses Bauernbrot schmeckt sehr gut.

Gurke, die, -n	....	Sie schneidet eine Gurke für den Salat.
Baguette, das, -s	....	In Frankreich isst man viel Baguette.
Toast Hawaii, der, Pl.: Toasts Hawaii	....	+ Wie macht man einen Toast Hawaii?
Toast, der, -s	....	− Das ist ein Toast mit Schinken und Ananas.
überbacken, überbacken	....	Dann überbackt man ihn mit Käse.
Spezialität, die, -en	....	Ist das eine Spezialität aus Hawaii?
Rumpsteak, das, -s	....	Ich esse lieber ein dickes Rumpsteak.
Grilltomate, die, -n	....	Dazu schmecken Grilltomaten sehr gut.
Kartoffelkrokette, die, -n	....	Kartoffelkroketten sind auch sehr lecker.
Salatteller, der, -	....	Aber ein Salatteller ist gesünder.
Teller, der, -	....	+ Was hast du da auf deinem Teller?
Wiener Schnitzel, das, -	....	− Ein Wiener Schnitzel, das sieht man doch.
Rindsroulade, die, -n	....	Ich hatte eine Rindsroulade bestellt.
Rotkraut, das, *	....	Und dazu natürlich Rotkraut.

Kloß, der, "-e .... Meine Mutter macht die besten Klöße.

gemischt .... + Heute esse ich einen gemischten Salat.

Putenbruststreifen, der, - .... − Nimm doch den Salat mit Putenbruststreifen.

Streifen, der, - .... Sie trägt einen Pulli mit grünen Streifen.

Bratkartoffel, die, -n .... Bratkartoffeln muss man heiß anbraten.

Fischstäbchen, das, - .... Meine Kinder lieben Fischstäbchen.

Kartoffelsalat, der, -e .... + Machst du den Kartoffelsalat mit Essig und Öl?

Majonäse, die, -n .... − Nein, ich mache ihn immer mit Majonäse.

Dessert, das, -s .... + Was gibt es heute als Dessert?

Apfelstrudel, der, - .... − Es gibt Apfelstrudel.

Vanilleeis, das, - .... + Hmm lecker, und dazu Vanilleeis?

Saft, der, "-e .... Kinder, wollt ihr Saft trinken?

Fass, das, "-er .... Haben Sie Bier vom Fass?

Rotwein, der, -e .... Ich trinke gern französischen Rotwein.

Weißwein, der, -e	....	Der deutsche Weißwein ist auch gut.
vegetarisch	....	Gibt es auch vegetarisches Essen? Ich esse kein Fleisch.
2 **4** *Rindfleisch,* das, *	....	+ Rindfleisch esse ich, aber kein Schweinefleisch.
Bratwürstchen, das, -	....	− In diesen Bratwürstchen ist aber auch Schweinefleisch drin.
2 **5** **statt**	....	Ich hätte lieber Reis statt Kartoffeln.
2 **6** **Echo,** das, -s	....	Hier in den Bergen hört man sein Echo.
2 **7** *Zungenbrecher,* der, -	....	Kannst du diesen Zungenbrecher sprechen?
tschechisch	....	Wir kennen eine tschechische Familie aus Prag.
Shrimp, der, -s	....	Im Urlaub haben wir oft Shrimps gegessen.
österreichisch	....	+ Fahren Sie in die österreichischen Alpen?
Skischule, die, -n	....	− Ja, wir besuchen dort eine Skischule.
Schneeschuh, der, -e	....	In den Bergen braucht man gute Schneeschuhe.
2 **8** **salzig**	....	Die Suppe ist zu salzig.
Gabel, die, -n	....	Ich kann das ohne Gabel nicht essen.

Einheit 6

69

Messer, das, - .... Vorsicht, das Messer ist sehr scharf.

Löffel, der, - .... Für die Suppe brauche ich einen Löffel.

zufrieden .... Ich bin sehr zufrieden mit meiner Arbeit.

zurücknehmen, zurück-
genommen .... Können Sie das Steak bitte zurücknehmen?

3 Rund ums Essen

rund um (etw.) .... Er weiß alles rund um dieses Thema.

3 1 *Restaurantfachfrau, die, -en* .... Sie ist Restaurantfachfrau von Beruf.

3 1 a *Catering, das, -s* .... Ist das Catering für die Party schon
bestellt?

Team, das, -s .... Wir arbeiten im Team zusammen.

Menüwahl, die, * .... Soll ich Sie bei der Menüwahl beraten?

Geschirr, das, -e .... + Soll ich das Geschirr abtrocknen?

spülen (Geschirr) .... − Ja, ich habe das Geschirr gerade gespült.

servieren .... Die Kellnerin serviert das Essen.

dęcken: Tisch decken	....	Sie deckt den Tisch für den Besuch.
Schauspieler/in, der/die, -/-nen	....	Ich kenne den Schauspieler vom Theater.
3 2 **Koch/Köchin,** der/die, "-e/-en	....	+ Sind Sie der Koch von diesem Restaurant?
Küchenhilfe, die, -n	....	− Nein, ich bin nur die Küchenhilfe.
Gąst, der, "-e	....	Die Gäste sind zufrieden mit dem Essen.
3 3 *Gesprịtzte, der, -*	....	Sie trinkt gern einen Gespritzten.
bestehen (aus), bestanden	....	Der Mensch besteht zu über 90 % aus Wasser.
Restaurantkritiker/in, der/die, -/-nen	....	Sie arbeitet als Restaurantkritikerin.
Journalịst/in, der/die, -en/-nen	....	Er arbeitet als Journalist bei einer Zeitung.
Bauernsalat, der, -e	....	+ Sind in dem Bauernsalat auch Oliven?
Ober, der, -	....	− Frag doch den Ober.
3 4 **Kọmma,** das, *Pl.*: Kọmmata	....	Vor dem Wort „dass" steht ein Komma.

3 5 **beenden** .... Ihre Ehe ist beendet. Sie liebt ihn nicht mehr.

Skandal, *der, -e* .... + Dieser Skandal war in allen Medien.

aufdecken .... − Wer hat den Skandal denn aufgedeckt?

3 6 a **türkisch** .... Wir essen bei einem türkischen Imbiss.

Mehl, das, -e, *auch: Mehl-* .... Für den Kuchen brauche ich noch Mehl.
sorten

Nuss, die, "-e .... Es müssen auch Nüsse hinein.

3 6 b *Käse-Fondue, das, -s* .... Wir sind zum Käse-Fondue eingeladen.

Joghurt, der *oder* das, -s .... Ich esse morgens nur einen Joghurt.

Knoblauch, der, * .... Hast du Knoblauch gegessen?

Frankfurter, die, - .... Darf Ihr Hund eine Frankfurter haben?
(Frankfurter Würstchen)

3 6 c *Wiener, die, -* .... Ein Paar Wiener mit Brot, bitte.

Amerikaner, der, - .... + Möchten Sie einen Amerikaner zum Tee?

Kameruner, der, - .... − Nein danke, lieber einen Kameruner.

Krakauer, die, -		Ich hätte gern eine Krakauer.
3 7 *logisch*		Jeder versteht das, das ist doch logisch.
Appetit, der, *		Guten Appetit!
Lokal, das, -e		In diesem Lokal kann man sehr gut essen.
verlassen, verlässt		Er verlässt gegen acht Uhr die Wohnung.
hey		Hey, Sie haben Ihre Tasche vergessen!

4 Ausgehen – Kontakte – Leute kennen lernen

4 2 b Reihenfolge, die, -n		Erzähl bitte der Reihenfolge nach.
4 5 a *Partnersuche,* die, *		Viele Singles sind auf Partnersuche.
Diskussion, die, -en		Ich hasse diese Diskussionen über Politik.
Traumprinz/-prinzessin, der/die, -en/-nen		Den perfekten Traumprinzen gibt es nicht.
per		Wir können per E-Mail in Kontakt bleiben.
Mausklick, der, -s		Mit ein paar Mausklicks ist alles erledigt.

Kontaktbörse, *die, -n* .... Die Tanzschule ist eine gute Kontaktbörse.

Lebenspartner/in, *der/die, -/-nen* .... Susanne ist seine Lebenspartnerin.

Flirt, *der, -s* .... Auf der Party gestern hatte ich einen Flirt.

Experte/Expertin, *der/die, -n/-nen* .... Sie muss es wissen. Sie ist ein Experte.

ehrlich .... Das stimmt nicht. Sei bitte ehrlich.

realistisch .... Man muss die Zukunft realistisch sehen.

ansprechen, angesprochen .... Er hat sie im Café angesprochen.

Exmann/Exfrau, *der/die, "-er/-en* .... Liebt er seine Exfrau noch?

ernst .... Das ist kein Spaß. Das ist ernst.

4 6 **Partnerprofil,** *das, -e* .... Das Partnerprofil soll interessant sein.

Geschlecht, *das, -er* .... Ist das Geschlecht männlich oder weiblich?

Augenfarbe, *die, -n* .... + Welche Augenfarbe gefällt dir?
– Blau.

Haarfarbe, *die, -n* .... Die Haarfarbe ist mir egal.

4 7 *Speed-dating, das, -s*	....	Die Stimmung beim Speed-dating war gut.
4 7 a <u>aus</u>denken (sich), <u>aus</u>gedacht	....	Wer hat sich diese Geschichte ausgedacht?
<u>an</u>melden (sich für etw.)	....	Hast du dich für den Kurs angemeldet?
gen<u>u</u>g	....	Hast du genug Geld dabei?

Übungen

Ü 1 **T<u>i</u>pp,** der, -s	....	Danke für den Tipp, das werde ich machen.
Ü 1 b *Quint<u>e</u>tt, das, -e*	....	Dieses Quintett macht gute Musik.
Ü 4 *Serv<u>ie</u>tte, die, -n*	....	Die Servietten liegen schon auf dem Tisch.
Ü 5 *Hot<u>e</u>lfachmann/-frau, der/die, "-er/-en*	....	Wie wird man Hotelfachmann?
Hot<u>e</u>lfachschule, die, -n	....	Man muss eine Hotelfachschule besuchen.
Z<u>i</u>mmermädchen, das, -	....	Das Zimmermädchen hat das Zimmer fertig.
vor <u>a</u>llem	....	Er liest viel, vor allem Krimis.
Ü 6 *indon<u>e</u>sisch*	....	Sie mag die indonesische Küche.

Rucolasalat, der, * .... Er bestellt lieber einen Rucolasalat.

Snack, der, -s .... In der Pause gibt es einen kleinen Snack.

Ü**7** **unfreundlich** ≠ freundlich .... Dieser Kellner ist aber unfreundlich!

Ü**8** *Oktoberfest, das,* * .... Das Oktoberfest beginnt im September.

Hunger, *der,* * .... Gibt es etwas zu essen? Ich habe Hunger.

Ü**10** *Skandinavien* .... In Skandinavien war das Wetter schlecht.

zurückfahren, zurück- .... Wir sind deshalb wieder zurückgefahren.
gefahren

Urlaubsfoto, das, -s .... Wir können euch keine Urlaubsfotos
zeigen.

nämlich .... Wir haben nämlich gar keine Fotos.

Station 2

1 Berufsbild Webdesigner

Webdesigner/in, der/die, -/-nen	....	Webdesigner ist ein moderner Beruf.
1❶ *Suchmaschine, die, -n*	....	Google ist eine Suchmaschine.
Internet-Browser, der, -	....	Mein Internet-Browser ist zu langsam.
Internetsurfer/in, der/die, -/-nen	....	In unserem Büro sitzen viele Internet-surfer.
Werbeagentur, die, -en	....	+ Arbeitest du in einer Werbeagentur?
Multimedia, das, -	....	– Nein, in einer Multimediaagentur.
gestalten	....	Ich gestalte Internetseiten.
Mediengestalter/in, der/die, -/-nen	....	Die Arbeit als Mediengestalter gefällt mir.
Link, der, -s	....	Ich schicke dir den Link, der ist interessant.
Web, das, *	....	Im Web findet man wirklich alles.
Recherche, die, -n	....	Hattest du Erfolg bei deiner Recherche?
1❷ *zusammenfassen*	....	Kannst du den Text zusammenfassen?
kreativ	....	Sie ist ein kreativer Mensch voller Ideen.

Farbdesign, das, -s	....	Dieses Farbdesign gefällt mir nicht.
funktional	....	Es ist nicht gerade schön, aber funktional.
orientieren (sich)	....	Ich bin neu hier, ich muss mich orientieren.
deshalb	....	Das Auto ist alt. Deshalb war es so billig.
aktualisieren	....	Hast du die alte Datei aktualisiert?
1 3 *bewerten*	....	Bewertest du das positiv oder negativ?
1 3 a *informativ*	....	Danke für das informative Gespräch.
übersichtlich ≠ unübersichtlich	....	Dieses Schema ist unübersichtlich.
1 4 *Strategie, die, -n*	....	Das war eine schlechte Strategie.
formulieren	....	Kannst du diesen Satz anders formulieren?
überfliegen, überflogen	....	Ich habe den Text nur kurz überflogen.
1 5 *anwenden, angewendet oder angewandt*	....	Man muss diese Technik anwenden.
Sportart, die, -en	....	+ Welche Sportarten interessieren dich?

etc. (Abk. für et cetera = usw.)		– Fußball, Handball, Basketball etc.
*wor**aus***		Woraus besteht ein Gespritzter?

2 Wörter – Spiele – Training

2① *Sk**i**springen, das, ** — Morgen gibt es wieder Skispringen.

*z**u**sehen, z**u**gesehen* — Da will ich zusehen.

*Schl**i**tten, der, -* — Es schneit, wir können Schlitten fahren.

2② *L**au**fdiktat, das, -e* — Wir machen ein Laufdiktat im Kurs.

*dikt**ie**ren* — Der Chef diktiert den Brief.

*E**c**ke, die, -n* — Du musst auch in den Ecken putzen.

*Kaff**ee**haus, das, "-er* — In Wien gibt es noch alte Kaffeehäuser.

*W**u**t, die, * (vor Wut kochen)* — So ein Mist! Ich koche vor Wut.

*so l**a**nge* — Du kannst so lange bei mir wohnen, wie du willst.

*r**e**chte* — Ich trage den Ring an der rechten Hand.

Daumen, der, -	....	Au! Ich habe mir in den Daumen geschnitten.
2 3 a **Stein**, der, -e	....	Ich habe einen schönen Stein gefunden.
Rollen, das, *	....	Der Wagen kommt ins Rollen.
2 4 **Figur**, die, *	....	Er hat eine sportliche Figur.

3 Grammatik und Evaluation

3 1 **Türkisch**, das, *	....	Sprechen Sie Türkisch?
3 3 **Kontaktanzeige**, die, -n	....	Er hat eine Kontaktanzeige aufgegeben.
Tennis, das, *	....	Sein Hobby ist Tennis.
intelligent	....	Wale sind intelligente Tiere.
romantisch	....	Wir hatten einen romantischen Abend.
klug, klüger, am klügsten	....	Meine Großmutter war eine kluge Frau.
kinderlieb	....	Unser Hund ist kinderlieb.
sensibel, sensibler, am sensibelsten	....	Er hat sehr sensibel reagiert.

tolerant	....	In der Stadt sind die Leute toleranter.
attraktiv	....	Sie ist eine schöne, attraktive Frau.
sympathisch	....	Ich finde ihn nett, sogar sehr sympathisch.
rundlich	....	Sie ist nicht schlank, sondern eher rundlich.
*Venus, die, * (hier: für Frau)*	....	Er hat seine Venus gefunden.
Freizeitgestaltung, die, -en	....	Er hat wenig Zeit für seine Freizeitgestaltung.
harmonisch	....	+ Ist eure Beziehung harmonisch?
Ehe, die, -n	....	– Ja, unsere Ehe ist sehr glücklich.
3 4 *chronologisch*	....	Die Bilder sind chronologisch geordnet.

4 Videostation 2

4 1 *Marzipan, das, -e*	....	Zu Weihnachten isst man viel Marzipan.
Süßigkeit, die, -en	....	Süßigkeiten sind schlecht für die Zähne.
Mandel, die, -n	....	Aber Mandeln und Nüsse haben Vitamine.
exportieren	....	Deutschland exportiert viele Produkte.

Roman, *der, -e* .... + Hast du den Roman gelesen?

Literaturnobelpreis, *der, -e* .... − Fantastisch. Er verdient den Literaturnobelpreis.

4 **2** **bisschen** *(ein bisschen)* .... + Bist du sehr müde?
− Nein, nur ein bisschen.

Reportage, *die, -n* .... Diese Reportage ist sehr informativ.

4 **3** **Anzahl,** *die, ** .... + Wie viele?
− Ich habe die Anzahl notiert.

Salami, *die, -s* .... Sie isst ein Brot mit Salami.

scharf, *schärfer,*
am schärfsten .... + Magst du scharfes Essen?

Peperoni, *die, -s* .... − Ja, am liebsten Pizza mit Peperoni.

Olive, *die, -n* .... Ich esse gern Oliven.

Thunfisch, *der, -e* .... + Kaufst du Thunfisch in der Dose?

Sardelle, *die, -n* .... − Nein, aber Sardellen mag ich gern.

Extra, *das, -s* .... Ich gebe Ihnen noch ein kleines Extra mit.

4 **4** **Drehtag,** *der, -e* .... Das Filmteam hat einen Drehtag in Köln.

4 **5** **Quadratkilometer,** *der, -* .... Der See ist fünf Quadratkilometer groß.

Innenstadt, *die,* *"-e* .... In der Innenstadt gibt es viele Geschäfte.

Einkaufszentrum, *das,* .... Ich gehe im Einkaufszentrum einkaufen.
-zentren

5 Magazin: Geschichten und Gedichte

urban .... Das urbane Leben ist oft stressig.

Legende, *die, -n* .... + Kennst du die Legende von der Lorelei?

Mythos, *der, Pl.: Mythen* .... – Natürlich, das ist doch ein Mythos!

irgendwo .... Er ist irgendwo in England, ich weiß nicht wo genau.

inzwischen .... Inzwischen verstehe ich mehr Deutsch.

Sammlung, *die, -en* .... Sie hat viele Bilder, eine ganze Sammlung.

irgendwie .... Er findet sie irgendwie unsympathisch.

witzig .... + Der Film ist witzig.

tragisch .... – Findest du? Ich finde ihn tragisch!

brutal .... Viele Filme sind furchtbar brutal.

rammen		Er hat mit dem Auto einen Bus gerammt.
Geburtstagskind, das, -er		Wir feiern heute das Geburtstagskind.
Ski, der, -er		Ich habe für den Winter neue Ski gekauft.
Ausrüstung, die, -en		Hast du denn deine Ausrüstung dabei?
Stimmung, die, -en		Die Stimmung auf der Party war sehr gut.
Idee, die, -n		Du hast immer tolle Ideen.
Holzstiege, die, -n		Er geht die Holzstiege hinauf.
klappen		+ Gab es Probleme? – Nein, alles hat gut geklappt!
klatschen		Die Theaterbesucher klatschen lange.
Dame, die, -n		Die Dame ist schwer krank.
psychiatrisch		Sie muss in ein psychiatrisches Krankenhaus.
lassen (etw. tun lassen)		Er hat sein Auto reparieren lassen.
Rentner/in, der/die, -/-nen		+ Arbeitet er noch? – Nein, er ist Rentner.
Fischpastete, die, -n		Wir haben Fischpastete gegessen.

Ehepaar, *das, -e*	....	Die Müllers sind ein nettes Ehepaar.
Vorspeise, *die, -n*	....	Als Vorspeise gibt es eine Tomatensuppe.
Katze, *die, -n*	....	Ich glaube, meine Katze mag mich nicht.
trotzdem	....	Aber ich mag sie trotzdem.
loben	....	Die Gäste loben das gute Essen.
nachdem	....	Nachdem du weg warst, habe ich gelesen.
tot	....	Mein Großvater ist schon lange tot.
Haustür, *die, -en*	....	Sie schließt die Haustür ab.
Panik, *die, **	....	Keine Panik! Ich nehme die Spinne weg.
Garage, *die, -n*	....	Er parkt das Auto in der Garage.
überfahren, *überfahren*	....	Oh nein, er hat die Katze überfahren!
Bitte entschuldigen Sie vielmals.	....	Es tut mir Leid. Bitte entschuldigen Sie vielmals.
vorbeikommen, *vorbeigekommen*	....	Willst du morgen zum Kaffee vorbeikommen?

Bahnsteig, *der, -e* .... Sie wartet auf dem Bahnsteig auf den Zug.

entgegengehen, *entgegen-gegangen* .... Ich gehe dir schon mal entgegen.

absteigen, *abgestiegen* .... Er steigt in einem Hotel beim Bahnhof ab.

erstbeste .... Sie hat den erstbesten Mann geheiratet.

dauernd .... Musst du dauernd rauchen?

stammeln .... Er konnte nichts sagen, nur stammeln.

heim *(= zu Hause)* .... Ich muss jetzt heim.

herrennen, *hergerannt (vor jdm)* .... Das Kind rennt vor seiner Mutter her.

umdrehen .... Zum Abschied dreht sie sich noch mal um.

zuwinken .... Sie winkt ihm zu.

Nebelkuh, *die, "-e* .... + Wo lebt eine Nebelkuh?

Nebelmeer, *das, -e* .... − Die Nebelkuh lebt im Nebelmeer.

muhen .... Die Nebelkuh muht.

Bahngleis, das, -e	....	Man darf nicht über die Bahngleise gehen.
Nebel, der, -	....	Bei diesem Nebel kann man nichts sehen!
entstellen	....	Seit dem Unfall ist sein Auge entstellt.
Lokomotive, die, -n	....	Hörst du die Lokomotive?
tönen	....	Die Klingel tönt laut.
Gegenwart, die, *	....	Dieser neue Film spielt in der Gegenwart.
Wald, der, "-er	....	Er geht oft im Wald spazieren.
Sumpf, der, "-e	....	Vorsicht, geh nicht weiter in den Sumpf!
unaufhaltsam	....	Die Katastrophe ist leider unaufhaltsam.
Gewissheit, die, -en	....	Ich kann das nicht mit Gewissheit sagen.
anlangen (hier: ankommen)	....	Nun sind wir am Ende angelangt.
umschreiben, umgeschrieben	....	Man kann unbekannte Wörter umschreiben.
auswendig (lernen)	....	Lernst du alle Vokabeln auswendig?

Landleben, das, *

Das Landleben ist nichts für mich.
Es ist zu einsam.

Anzeige, die, -n

Hast du die Wohnungsanzeigen schon
gelesen?

1 Stadtleben oder Landluft?

Landluft, die, *

Ich liebe die frische Landluft.

1 Kuh, die, "-e

Die Kühe geben viel Milch.

Fußgängerzone, die, -n

In der Fußgängerzone gibt es keine
Autos.

Natur, die, *

Ich erhole mich am liebsten in der Natur.

Waldweg, der, -e

Man kann auf den Waldwegen wandern.

Wald, der, "-er

Im Wald ist es ruhig. Man hört nur die
Tiere.

Traktor, der, -en

Der Bauer fährt auf dem Traktor nach
Hause.

Verkehrsstau, der, -s

In der Urlaubszeit gibt es lange Verkehrs-
staus.

Luftverschmutzung, die, *	....	In der Innenstadt ist die Luftverschmutzung ein Problem.
draußen	....	Im Sommer sind die Leute oft draußen.
grillen	....	Sie grillen abends im Garten.
1 **2** **knapp**	....	Ich brauche eine knappe Stunde zur Arbeit.
Grundschule, die, -n	....	Alle Kinder gehen zuerst in die Grundschule.
Bauernhof, der, "-e	....	Wir haben Urlaub auf dem Bauernhof gemacht.
Huhn, das, "-er	....	Hühner legen Eier.
Pferd, das, -e	....	Auf einem Pferd kann man reiten.
Katze, die, -n	....	Unsere Katze mag keine Mäuse.
Banklehre, die, -n	....	Nach der Schule will er eine Banklehre machen.
umziehen, umgezogen	....	Hast du meine neue Adresse? Wir sind umgezogen.
*Zusammenleben, das, * *	....	Das Zusammenleben mit dir ist nicht immer einfach.
Richtige, das, *	....	Das ist genau das Richtige für mich.

2 1 a *Nachtleben, das, ** .... Auf dem Land gibt es kaum Nachtleben.

Flughafen, der, "- .... + Wohnst du direkt am Flughafen?

Nachteil, der, -e .... – Ja, es ist sehr laut. Das ist der Nachteil an meiner Wohnung.

Busverbindung, die, -en .... Es gibt eine schnelle Busverbindung zum Flughafen.

2 2 *Dialekt, der, -e* .... + Hier in Stuttgart sprechen die Leute Dialekt.

Umgebung, die, -en .... – In Tübingen und Umgebung klingt der Dialekt anders.

auffallen, aufgefallen .... + Das ist mir auch aufgefallen.

2 3 **Lippe, die, -n** .... + Dein Sohn hat die gleichen Lippen wie du.

rund (2) .... – Stimmt, er hat auch einen runden Mund.

2 4 **unwichtig** ≠ **wichtig** .... Sie hat keine Zeit für unwichtige Fragen.

2 5 **Ideal, das, -e** .... Man muss im Leben seine Ideale haben.

Villa, die, *Pl.:* Villen .... Meine Großeltern hatten eine große Villa.

im Grünen .... Ich wohne im Grünen und nicht in der Stadt.

Terrasse, die, -n .... Im Sommer kann man auf der Terrasse sitzen.

Aussicht, die, -en .... Ich habe eine tolle Aussicht auf die Berge.

ländlich-mondän .... So ein ländlich-mondänes Leben gefällt mir.

*Zugspitze, die, ** .... Die Zugspitze ist fast 3000 m hoch.

Ganze, das, * .... Aber das Ganze ist leider nur ein Traum.

schlicht .... Wir leben in einer schlichten Stadtwohnung.

Bescheidenheit, die, * .... Bescheidenheit ist wichtig im Leben.

2 **7** **Schulzeit,** die, * .... Er besucht einen alten Freund aus der Schulzeit.

2 **8** **aufschreiben,** <u>auf</u>geschrieben .... Schreibst du mir bitte deine Adresse auf?

3 Nebensätze mit *als*

3 **1** **Struktur,** die, -en .... Die deutsche Grammatik hat klare Strukturen.

3 **2** **Lüge,** die, -n .... + Glaubst du diese Lügen etwa?

3 **2** a **Ach was!** .... – Ach was! Ich bin doch nicht blöd.

3 2 c l<u>ü</u>gen, gel<u>o</u>gen

.... Man sagt, dass Politiker oft lügen.

3 3 <u>Au</u>slandsreise, die, -n

.... Er hat bei seinen Auslandsreisen viele Länder kennen gelernt.

4 Auf Wohnungssuche

4 1 K<u>e</u>ller, der, -

.... Wir haben guten Wein im Keller.

K<u>a</u>ltmiete, die, -n

.... Wie hoch ist die Kaltmiete für die Wohnung?

Immob<u>i</u>lie, die, -n

.... Mein Onkel handelt mit Immobilien.

Gar<u>a</u>ge, die, -n

.... Er hat eine sehr große Garage.

id<u>e</u>al

.... Die Garage ist ideal für seine fünf Autos.

Fl<u>u</u>ghafenpersonal, das, *

.... Das Flughafenpersonal ist sehr freundlich.

Person<u>a</u>l, das, *

.... Wir suchen für unsere Firma Personal.

Z<u>e</u>ntrum, das, *Pl.:* Z<u>e</u>ntren

.... Ich fahre jeden Tag ins Zentrum.

M<u>o</u>natsmiete, die, -n

.... Sie zahlt die Monatsmiete immer pünktlich.

möbl<u>ie</u>rt

.... Das Zimmer ist möbliert, aber die Möbel sind alt.

Stellplatz, der, "-e		Es gibt auch einen Stellplatz für sein Auto.
Altbau, der, *Pl.:* Altbauten		Im Altbau sind die Zimmer hoch.
Neubau, der, *Pl.:* Neubauten		Die Badezimmer im Neubau sind modern.
Dachgeschoss, das, -e		Eine Dachgeschoss-Wohnung ist mein Traum.
Kaution, die, -en		Die Kaution beträgt drei Monatsmieten.
Wohnfläche, die, -n		Die Wohnfläche ist 120 qm groß.
Nebenkosten, die, *Pl.*		+ Wie hoch sind die Nebenkosten für Wasser und Heizung?
4 2 erfragen		– Ich weiß es nicht, ich muss es erfragen.
Wohnungsbesichtigung, die, -en		Die Wohnungsbesichtigung ist morgen.
Besichtigung, die, -en		+ Um wie viel Uhr ist die Besichtigung?
vereinbaren		– Wir haben noch keine Uhrzeit vereinbart.
4 2 a **Telefongespräch,** das, -e		Mein Freund hasst Telefongespräche.
4 2 b *Berufstätige, der/die, -n*		Viele Berufstätige haben zu wenig Zeit für die Familie.

5 Der Umzug

5 1 *Umzugscheckliste, die, -n* .... + Hast du eine Umzugscheckliste gemacht?

Chẹckliste, die, -n .... − Ja, ich mache oft Checklisten. Sonst vergesse ich alles.

Babysitter/in, der/die, -/-nen .... + Habt ihr für Samstag einen Babysitter?

Ụmzugstag, der, -e .... − Nein, am Umzugstag kommt meine Mutter.

Ụmzugskarton, der, -s .... + Ich habe noch Umzugskartons im Keller.

besọrgen .... − Danke, wir haben schon welche besorgt.

Hausrat, der, * .... + Habt ihr denn viel Hausrat?

verpạcken .... − Ja, und wir müssen das alles noch verpacken.

Ịnhalt, der, -e .... + Was für ein Inhalt ist in diesem Karton?

Babybedarf, der, * .... − In dem Karton ist der Babybedarf.

Verpflegung, die, * .... Gibt es Verpflegung? Wir haben Hunger!

Wạschzeug, das, * .... Hast du meine Zahnpasta in dein Waschzeug gepackt?

5 3   **schützen**   ....   Hier sind wir vor dem Regen geschützt.

     sonst   ....   Zieh den Pullover an, sonst ist dir
                                                           zu kalt!

5 3 a   **Sänger/in,** der/die, -/-nen   ....   Madonna ist eine tolle Sängerin.

6   Erste Hilfe

     Erste Hilfe, die, *   ....   Ein Unfall! Wir brauchen Erste Hilfe!

6 1   **Pflaster,** das, -   ....   Ich habe mich geschnitten. Hast du ein
                                                           Pflaster?

     Nasenspray, das, -s   ....   Ich brauche auch ein Nasenspray.

     Hausapotheke, die, -n   ....   Das Pflaster ist in der Hausapotheke.

     Verband, der, "-e   ....   Oh je – ich mache dir einen Verband.

     Schere, die, -n   ....   Hast du mal eine Schere? Ich muss ein
                                                           Pflaster abschneiden.

     Tropfen, die, *Pl.*   ....   Diese Tropfen sind gut gegen Husten.

     stoßen, gestoßen   ....   Aua! Ich habe mir den Kopf gestoßen.

     Zitrone, die, -n   ....   Willst du etwas Zitrone in den Tee?

brechen (sich etw.), gebrochen .... Er hat sich beim Skifahren das Bein gebrochen.

Notarzt/Notärztin, der/die, "-e/-nen .... Ich rufe sofort den Notarzt!

erkältet (sein) .... Im Winter bin ich oft erkältet.

kühlen .... Du musst das Knie mit Eis kühlen.

Stelle (2), die, -n .... Diese Stelle tut besonders weh.

verbrennen, verbrannt .... Ich habe mich am heißen Herd verbrannt.

reinigen .... Man muss die Wunde reinigen.

Wunde, die, -n .... Die Wunde sieht wirklich schlimm aus.

kleben (+ auf) .... Ich klebe ein Pflaster auf die Wunde.

6 2 b **Fan,** der, -s .... Sie ist Fan von Robbie Williams.

Folge (1), die, -n .... Siehst du jede Folge von Marienhof?

Abendbrot, das, * .... Was gibt es heute zum Abendbrot?

Hochzeitsszene, die, -n .... Bei Hochzeitsszenen muss ich oft weinen.

Szene, die, -n	....	Solche Szenen sieht man viel zu selten.
schlecht (jdm ist ...)	....	Das Essen war nicht gut. Mir ist schlecht.
Blut, das, *	....	Sie kann kein Blut sehen.
losrennen, losgerannt	....	Sie hatte Angst und ist einfach losgerannt.
trotzdem	....	Es ist kalt, aber wir baden trotzdem.
froh	....	Er ist froh, dass er Urlaub hat.

Übungen

Ü1 a starten .... Schnell, das Flugzeug startet gleich!

Bahnlinie, die, -n .... Die Bahnlinie S1 fährt unregelmäßig.

Industrie, die, -n .... In dieser Region gibt es kaum Industrie.

Zugang, der, "-e .... Hier ist kein Zugang, benutzen Sie den anderen Eingang.

Bundesland, das, "-er .... Welche Bundesländer liegen im Osten?

damit .... Sie war die Schnellste. Damit hat sie den Weltrekord!

Industriestandort, der, -e .... Wolfsburg ist ein Industriestandort.

Eisenbahnknotenpunkt, der, -e		Die Stadt Hamm ist Eisenbahn-knotenpunkt.
Seehafen, der, "-		Am Seehafen kann man große Schiffe sehen.
Musical, das, -s		Wir waren in *Cats*. Mein Lieblings-Musical.
Metropole, die, -n		Paris ist die schönste Metropole in Europa.
erfolgreich		Er ist in seinem Beruf sehr erfolgreich.
weltbekannt		Er ist sogar weltbekannt.
bekannt		Er ist bekannt für seine Filme.
Ballett, das, -e		Sie ist Tänzerin beim Ballett.
idyllisch		+ Die Landschaft hier ist idyllisch.
Autobahnanschluss, der, "-e		– Ja, aber es gibt keinen Autobahn-anschluss.
Landstraße, die, -n		+ Man kann ja die Landstraße nehmen.
anreisen		Viele Urlauber reisen mit der Bahn an.
Dorfbewohner/in, der/die, -/-nen		Die meisten Dorfbewohner sind hier geboren.

Bewohner/in, der/die, -/-nen	....	Das Haus steht leer. Wo sind die Bewohner?
Bauernmarkt, der, "-e	....	Wir kaufen oft auf dem Bauernmarkt ein.
Ü**2** a **Teil,** der, -e	....	Einen Teil der Hausarbeit macht mein Mann.
Ü**3** **Buchstabe,** der, -n	....	X ist ein seltener Buchstabe.
Ü**4** **wach**	....	Meine Katze ist schon um fünf Uhr wach.
füttern	....	Dann muss ich sie sofort füttern.
mitfahren, mitgefahren	....	Darf ich bei euch im Auto mitfahren?
Ü**5** **Abitur,** das, *	....	Er hat mit 19 Jahren sein Abitur gemacht.
Ü**6** **rechnen**	....	In Mathematik war er immer schlecht. Er kann nicht gut rechnen.
Musikschule, die, -n	....	Er lernt in der Musikschule Gitarre spielen.
Ü**9** **Sehr geehrte/r ...** (Anrede im Brief)	....	Sehr geehrte Frau Malinowski, ...
Mail, die, -s	....	Er schickt ihr viele Mails.
einziehen, eingezogen	....	Wir sind gerade in die Wohnung eingezogen.

in Höhe von	....	Wir zahlen Miete in Höhe von 700 Euro.
abstellen	....	Sie dürfen Ihr Fahrrad hier nicht abstellen!
zurückrufen, zurück-gerufen	....	Können Sie mich bitte schnell zurück-rufen?
folgende	....	Die folgende Lektion ist sehr interessant.
Nummer, die, -n	....	Kannst du mir deine Nummer geben?
herzlichst	....	Ich grüße dich herzlichst, deine Luise
Info, die, -s *(Kurzform)*	....	Er braucht aktuelle Infos zum Thema.
Ü⑩ *Rettungssanitäter/in, der/die, -/-nen*	....	Als Rettungssanitäter kann er vielen Menschen helfen.
Fußball-WM, die, -s	....	Wer gewinnt die Fußball-WM?
Fußballspieler/in, der/die, -/-nen	....	Brasilien hat sehr gute Fußballspieler.
Stadion, das, *Pl.:* Stadien	....	Das Stadion ist ausverkauft.
Ü⑪ **Ofen,** der, "-	....	Die Pizza kommt frisch aus dem Ofen.

kulturell	....	Diese Stadt bietet viel kulturelles Leben.
Vergangene, das, *	....	Das Vergangene ist vorbei und vergessen.
damals	....	Damals war das Leben anders als heute.
Theaterintonation, die, *	....	Sprich den Satz mal mit Theaterintonation!

1 Kulturhauptstädte Europas

Kulturhauptstadt, die, "-e	....	Welche Stadt war 2002 Kulturhauptstadt?
1 1 Begriff, der, -e	....	Kannst du mir diesen Begriff erklären?
Assoziogramm, das, -e	....	Wir machen ein Assoziogramm zum Thema Kultur.
1 2 griechisch	....	Aristoteles war ein griechischer Philosoph.
Kulturminister/in, der/die, -/-nen	....	Unser Kulturminister macht gute Politik.

Minister/in, der/die, -/-nen		Wie viele Minister hat das Land?
Titel, der, -		Das Buch ist toll, aber ich habe leider den Titel vergessen.
Kleinstadt, die, "-e		Ist das Leben in der Kleinstadt nicht langweilig?
Festival, das, -s		Nein, wir haben im Sommer viele Festivals.
Ausstellung, die, -en		Warst du in der Van-Gogh-Ausstellung?
Oper, die, -n		Die Zauberflöte ist meine Lieblingsoper.
Aufführung, die, -en		Die Aufführung gestern Abend hat mir sehr gefallen.
Lesung, die, -en		Manchmal gibt es Lesungen im Literaturhaus.
Veranstaltung, die, -en		Das sind viele Veranstaltungen für so eine kleine Stadt!
Innenstadt, die, "-e		In der Innenstadt gibt es auch einige Kneipen.
Hafen, der, "-		Am Hafen kommen oft große Schiffe an.
Open-Air-Bühne, die, -n		Im Sommer gibt es Konzerte auf der Open-Air-Bühne.
Bühne, die, -n		Es haben schon richtige Stars auf der Bühne gestanden.

Literaturfestival, das, -s		Sehr bekannt ist auch unser Literatur-festival.
Literatur, die, -en		+ Interessierst du dich denn für Literatur?
Künstler/in, der/die, -/-nen		– Natürlich, ich bin doch Künstlerin.
bewerben (sich), beworben		+ Dann kannst du dich ja für unser Festival bewerben.
1 3 **Musical,** das, -s		Möchtest du in die Oper oder ins Musical gehen?
1 4 **Wahl,** die, -en		Du hast die Wahl: Kaffee oder Tee?
Partnerstadt, die, "-e		Unsere Stadt hat viele Partnerstädte.

2 Weimar – gestern und heute

2 1 a **geschäftlich**		Bist du privat oder geschäftlich hier?
neugierig		Entschuldige die Frage, ich bin so neugierig.
Wohnhaus, das, "-er		In diesem Wohnhaus leben acht Familien.
Bibliothek, die, -en		Die Studenten lernen in der Bibliothek.
Hochschule, die, -n		Peter studiert an der Hochschule Medizin.

unbedingt	....	Er will unbedingt Arzt werden.
teilnehmen, teilgenommen	....	Er nimmt an vielen Seminaren teil.
lehren	....	Hier lehren einige bekannte Professoren.
Flügel (Instrument), der, -	....	+ Kannst du auf diesem Flügel spielen?
Orgel, die, -n	....	– Ja, ich spiele auch Orgel in der Kirche.
Architektur, die, -en	....	Das Haus hat eine interessante Architektur.
Design, das, -s	....	Innen ist das Design auch sehr modern.
total	....	Super! Ich finde es total schick!
einplanen	....	Hast du den Besuch auch eingeplant?
lohnen (sich)	....	Gut, die Ausstellung lohnt sich wirklich.
auf jeden Fall	....	Die muss man auf jeden Fall sehen.
2 2 a **Reiseleiter/in, der/die, -/-nen**	....	Unser Reiseleiter weiß wirklich alles über die Stadt.
einzeichnen	....	Ich zeichne den Treffpunkt auf dem Plan ein.

Route, die, -n .... Kannst du die Route auch einzeichnen, bitte?

2 **2 b Denkmal,** das, "-er .... Dieses Denkmal ist sehr bekannt.

Touristenattraktion, die, -en .... Es ist eine Touristenattraktion.

Attraktion, die, -en .... + Gibt es noch andere Attraktionen?

davor .... – Du stehst direkt davor. Das ist der Dom.

3 Einen Theaterbesuch organisieren

3 **1** *Nationaltheater, das, -* .... + Was läuft heute im Nationaltheater?

Theaterkasse, die, -n .... – Wir können bei der Theaterkasse fragen.

Kasse, die, -n .... Sie müssen an der Kasse bezahlen.

Reisegruppe, die, -n .... Wir sind eine Reisegruppe von 15 Personen.

Parkett, das, -e oder -s .... Gibt es noch Plätze im Parkett?

Ermäßigung, die, -en .... Es gibt keine Ermäßigung für Gruppen.

anbieten, angeboten .... + Bieten Sie Studenten eine Ermäßigung an?

| *Abendkasse, die, -n* | .... | – Ja, aber nur an der Abendkasse. |

3 4 **präsentieren** .... Der Reiseleiter präsentiert das Programm.

Anreise, die, -n .... Die Anreise mit dem Zug ist am Freitag.

Abreise, die, -n .... Die Abreise ist am Sonntag.

Unterkunft, die, "-e .... Die Unterkunft im Hotel ist teuer.

4 Über Vergangenes sprechen und schreiben

4 1 **Parkautomat, der, -en** .... Hier muss man am Parkautomaten einen Schein ziehen.

4 4 **Komponist/in, der/die, -en/-nen** .... Mozart ist ein bekannter Komponist.

Stück (2), das, -e .... Dieses Stück ist aber von Bach, glaube ich.

4 5 a *Organist/in, der/die, -en/-nen* .... + Spielen Sie Orgel? – Ja, ich bin Organist!

Konzertmeister/in, der/die, -/nen .... Bach war Konzertmeister in Weimar.

4 7 **extra** .... Er hat extra einen Kuchen gebacken.

4 8 **Zeitform,** *die, -en* .... Die Zeitformen muss man lernen.

Stadtführer/in, der/die, -/-nen .... Hans hat als Stadtführer gearbeitet.

Verlobte, der/die, -n .... Da hat er seine Verlobte kennen gelernt.

verlieben (sich) .... Sie haben sich sofort verliebt.

Roman, der, -e .... Das klingt wie in einem Roman!

4 9 *Dreiecksgeschichte,* **die,** *-n* .... Es ist eine Dreiecksgeschichte. Er liebt zwei Frauen.

4 9 a **Skizze,** die, -n .... Ich habe eine Skizze von der Wohnung gemacht.

verlobt (mit jdm) .... + Seid ihr verlobt?

befreundet (mit jdm) .... – Nein, wir sind leider nur befreundet.

verliebt (in jdn) .... + Bist du denn verliebt?

4 9 b **erweitern** .... Ich muss meinen Wortschatz erweitern!

Leid, das, -en .... Dieses Buch erzählt vom Leid einer Frau.

Romanheld/in, *der/die,* *-en/-nen* .... Die Romanheldin ist arm und liebt einen reichen Mann.

unglücklich ≠ glücklich	....	Er liebt sie nicht. Sie ist sehr unglücklich.
Ball (2), der, "-e	....	Wir gehen zum Opernball und tanzen.
auf Reisen sein	....	Als Künstler ist er viel auf Reisen.
bewundern	....	Ich bewundere dich. Du bist nie nervös.
liebevoll	....	Meine Mutter ist eine liebevolle Groß-mutter.
kümmern (sich um jdn)	....	Sie kümmert sich gern um meine Kinder.
tot	....	Mein Vater ist leider seit drei Jahren tot.
Sympathie, die, -n	....	Ich habe viel Sympathie für meine Kollegin.
enden	....	Wisst ihr, wie der Film endet?
tragisch	....	Er endet tragisch. Alle sterben.
4 10 **Persönlichkeit,** die, -en	....	In dieser Stadt haben viele interessante Persönlichkeiten gelebt.
biografisch	....	Der Roman gibt viele biografische Infor-mationen.

Übungen

Ü 1 a **brẹnnen,** gebrạnnt   ....   Hilfe, ein Feuer! Es brennt!

wẹltberühmt   ....   Diese Geschichte kennt jeder. Sie ist weltberühmt.

ạbspielen (sich)   ....   Wo hat sie sich abgespielt?

Wẹimarer/in, der/die, -/-nen   ....   Die Weimarer sprechen Dialekt.

Dạch, das, "-er   ....   Oben auf dem Dach sitzt eine Katze.

stọppen   ....   Die Polizei stoppt den Verkehr.

rẹtten   ....   Die Feuerwehr rettet die Katze vom Dach.

Bịbel, die, -n   ....   Liest du manchmal in der Bibel?

beschädigen   ....   Diese Bibel ist sehr alt, aber kaum beschädigt.

Sạmmlung, die, -en   ....   Horst hat eine Briefmarken-Sammlung.

vor Ọrt   ....   Ein Journalist muss immer vor Ort sein.

Drạma, das, *Pl.:* Drạmen   ....   Dieser Unfall ist ein Drama für die Familie.

Ü 2 **Ẹintrittskarte,** die, -n   ....   Ich habe Eintrittskarten gewonnen.

Ü3 **Fußballspiel, das, -e** .... Sind das Karten für ein Fußballspiel?

Hauptsache, die, * .... Freust du dich? Das ist die Hauptsache.

wunderbar .... Ja, ich finde es wunderbar.

Ü4 a zusammenpassen .... Dieses Hemd und die Hose passen nicht zusammen.

unverheiratet ≠ verheiratet .... Bestimmt ist er noch unverheiratet.

Ü5 b Eintritt, der, -e .... Der Eintritt für das Konzert ist zu teuer.

Ü6 Jugendliebe, die, -n .... Er hat seine alte Jugendliebe wieder getroffen.

Hoffnung, die, -en .... Er ist sehr krank, aber es gibt noch Hoffnung.

abreisen .... Wir müssen am Sonntag wieder abreisen.

Ü7 a Bekannte, der/die, -n .... Ein alter Bekannter von mir ist gestorben.

Tod, der, -e .... Ich habe erst heute von seinem Tod erfahren.

Ü8 Bauhaus, das, * .... Ich mag das Bauhaus-Design.

sterben, gestorben .... Jeder Mensch muss sterben.

eröffnen .... In der Straße hat ein neues Café eröffnet.

Ü **9**	**Möbelklassiker**		Dieses Sofa ist ein Möbelklassiker.
Ü **9** a	**benennen,** benannt		Wie kann man dieses Ding benennen?
Ü **9** b	**unbequem** ≠ bequem		Das Sofa gefällt mir nicht. Es ist un-bequem.

9 Arbeitswelten

Lebenslauf, der, "-e		Klaus sucht einen Job. Er schreibt zuerst seinen Lebenslauf.
hinterlassen, hinterlassen		Sie können mir telefonisch eine Nachricht hinterlassen.
Höflichkeit, die, -en		Höflichkeit kostet nichts, sagt meine Oma.

1 Ausbildung, Umschulung, Beruf

| **Umschulung,** die, -en | | Vor ihrer Umschulung hatte sie keine Arbeit. |
| 1 **1** **Facharbeiter/in,** der/die, -/-nen | | Jetzt arbeitet sie als Facharbeiterin. |

Rinderzucht, die, -en .... Ich mag Kühe. Rinderzucht interessiert mich.

Rind, das, -er .... Mein Onkel lebt auf dem Land. Er hat viele Rinder.

aufziehen, aufgezogen .... Ich will meine Kinder auf dem Land aufziehen.

Wende, die, * .... Vor der Wende haben wir in Dresden gelebt.

Vereinigung, die, -en .... Nach der Vereinigung sind wir nach Hamburg gezogen.

Betrieb, der, -e .... In diesem Betrieb arbeiten 150 Leute.

Bewerbung, die, -en .... Sie hat schon 30 Bewerbungen geschrieben.

Landwirtschaft, die, -en .... Aber in der Landwirtschaft gibt es keine Jobs.

Bauer/Bäuerin, der/die, -n/-nen .... Sie kann nicht mehr als Bäuerin arbeiten.

Arbeitsamt, das, "-er .... Also geht sie zum Arbeitsamt.

programmieren .... In welcher Computersprache ist das programmiert?

Teilzeit, die, * .... Möchten Sie Teilzeit oder Vollzeit arbeiten?

Vollzeit, die, * .... Ich muss Vollzeit arbeiten.

Erzieher/in, der/die, -/-nen		Sie arbeitet als Erzieherin, weil sie Kinder mag.
tagsüber		Tagsüber bin ich fast nie zu Hause.
Großküche, die, -n		Er ist Koch in einer Großküche.
anstrengend		Die Arbeit ist sehr anstrengend.
Ausbildungsplatz, der, "-e		Klaus hat einen Ausbildungsplatz gefunden.
Berufsschule, die, -n		Jetzt geht er in die Berufsschule.
Frisörsalon, der, -s		Im Frisörsalon lernt er Haare schneiden.
ausbilden		Sein Chef bildet drei junge Leute aus.
Angestellte, der/die, -n		Er hat insgesamt sechs Angestellte.
Auszubildende, der/die, -n		Die Auszubildenden lernen viel und gern.
1**2** **selbstständig machen** (sich)		Klaus will sich später selbstständig machen.
1**3** **Militär,** das, *		Aber mit 18 muss er noch neun Monate zum Militär.
Au-Pair, das, -s		Eva geht als Au-Pair für ein Jahr nach Rom.

Einheit 9

2 Arbeitssuche

2 1 a *Anforderung, die, -en* .... Die Firmen stellen hohe Anforderungen.

Krankenpflege, die, * .... In der Krankenpflege gibt es noch Jobs.

Schichtdienst, der, -e .... Sie müssen im Schichtdienst arbeiten.

Berufserfahrung, die, * .... Ohne Berufserfahrung findet man keine Stelle.

Führerschein (Klasse B), der, -e .... Zum Autofahren braucht man den Führerschein der Klasse B.

ambulant .... + Warst du im Krankenhaus?
– Ja, aber nur ambulant.

Pflegestation, die, -en .... Die Pflegestation kümmert sich um alte Leute.

Pflege, die, * .... Mein Opa braucht rund um die Uhr Pflege.

z. T. = zum Teil .... Ich habe die Arbeit nur zum Teil gemacht.

schriftlich .... Bitte schicken Sie eine schriftliche Bewerbung.

Baustelle, die, -n .... In Berlin gibt es viele Baustellen.

Maurer/in, der/die, -/-nen .... Für Maurer gibt es hier genug Arbeit.

Maler/in, der/die, -/-nen	....	+ Habt ihr noch Maler in eurer Wohnung?
Lackierer/in, der/die, -/-nen	....	– Ja, die Lackierer machen unsere Fenster neu.
Berufsanfänger/in, der/die, -/-nen	....	+ Sind Sie Berufsanfänger?
Technische/r Zeichnerin/ Zeichner, die/der, -nen/-	....	– Nein, ich habe schon als Technischer Zeichner gearbeitet.
Kenntnis, die, -e	....	Meine Kenntnisse in Geschichte sind schlecht.
Industriekaufmann/-frau, der/die, "-er/-en	....	Franz arbeitet als Industriekaufmann.
Export, der, -e	....	Der Export ist sehr wichtig für die deutsche Wirtschaft.
Sachbearbeitung, die, *	....	Seine Kollegin ist in der Sachbearbeitung tätig.
Kundenkontakt, der, -e	....	Ein guter Kundenkontakt ist wichtig für die Firma.
Profil, das, -e	....	Dieser Bewerber hat das richtige Profil.
attraktiv	....	Susi sieht sehr attraktiv aus.
Sozialleistung, die, -en	....	Die Firma bietet Sozialleistungen an.

Ansprechpartner/in, der/ die, -/-nen .... Ihre Ansprechpartnerin ist Frau Hubert.

telefonisch .... Sie ist telefonisch bis 18 Uhr zu erreichen.

richten (etw. an jdn) .... Sie können Ihre Frage auch an mich richten.

2 1 b **Wochenendarbeit,** die, -en .... Für Kellner ist Wochenendarbeit normal.

verdoppeln .... + Die Zahl der unverheirateten Männer hat sich verdoppelt.

feststellen .... – Wer hat das festgestellt?

Studie, die, -n .... + Das ist das Ergebnis einer Studie.

Forschungsgruppe, die, -n .... Die Forschungsgruppe präsentiert ihre Studie.

Arbeitssuchende, der/die, -n .... Von den Männern sind 20 % Arbeitssuchende.

Renner, der, - .... Dieser Film ist der Renner in den Kinos.

Jobbörse, die, -n .... Er hat seine Stelle über die Jobbörse gefunden.

Nutzer/in, der/die, -/-nen .... Als Nutzer des Internets bin ich informiert.

2 2 *tabellarisch* .... Schicken Sie uns Ihren tabellarischen Lebenslauf.

Stichwort, das, "-er .... Ein paar Stichwörter sind genug.

2 2 a **Schulabschluss,** der, "-e .... Sie hat mit 16 ihren Schulabschluss gemacht.

persönliche Daten, die, *Pl.* .... Ich habe eine Frage zu ihren persönlichen Daten. Wo sind Sie geboren?

persönlich .... Der Chef möchte persönlich mit dir sprechen.

Anschrift, die, -en .... Ich bin umgezogen. Hast du meine neue Anschrift?

GmbH, die, -s .... Diese Firma ist eine GmbH.

Buchhaltung, die, -en .... Frau Mayer führt die Buchhaltung.

2 2 b **senden** .... Wir senden Ihnen den Vertrag per Post.

mit freundlichen Grüßen (*Gruß im Brief*) ....

Vogel, der, "- .... Der Strauß ist ein Vogel, der nicht fliegen kann.

imitieren .... Ich kann einen Hund imitieren: Wau wau!

3 Berufswünsche

3 1 a *Schiffskapitän/in, der/die, -e/-nen* .... Als kleiner Junge wollte er Schiffskapitän werden.

Bautechniker/in, der/die, -/-nen .... Aber dann ist er Bautechniker geworden.

3 3 *Traumberuf, der, -e* .... Welche Traumberufe haben deine Kinder?

Tänzer/in, der/die, -/-nen .... Meine Tochter will Tänzerin werden.

Lokomotivführer/in, der/die, -/-nen .... Mein Sohn will Lokomotivführer werden.

3 4 b **anwenden** .... Du musst die Grammatik auch anwenden.

unzufrieden ≠ zufrieden .... Bist du unzufrieden mit deinen Deutsch-kenntnissen?

4 Wortschatz systematisch

Wortschatz, der, * .... Ja, mein Wortschatz ist zu klein.

systematisch .... Es ist am besten, Wörter systematisch zu lernen.

4 1 a **Tätigkeit,** die, -en

.... Es gibt viele interessante Tätigkeiten.

Tischler/in, der/die, -/-nen

.... Am liebsten möchte ich als Tischler arbeiten.

4 5 **Karteikarte,** die, -n

.... Was machst du mit den Karteikarten?

Grammatik, die, -en

.... Ich lerne die deutsche Grammatik.

5 Höflichkeit

5 2 **Rückruf,** der, -e

.... Sie wartet auf seinen Rückruf.

dringend

.... Es ist dringend, beeilen Sie sich!

Institut, das, -e

.... Ich rufe den Professor im Institut an.

verbinden (sich ... lassen)

.... Können Sie mich bitte mit Herrn Mantey verbinden?

unterbrechen (jdn), unterbrochen

.... Aber ich kann meine Frage nicht stellen. Er unterbricht mich immer.

5 3 **zumachen**

.... Kannst du bitte die Tür zumachen?

Taschentuch, das, "-er

.... Du bist erkältet. Möchtest du ein Taschentuch?

5 **4**	**vorbeilassen,** vorbei-gelassen	Ich muss hier durch. Lassen Sie mich vorbei?
5 **6**	**klingen,** geklungen	Das Lied klingt traurig.
5 **7**	**höflich**	Die Engländer sind immer sehr höflich.
	interkulturell	Interkulturelle Beziehungen sind wichtig.
	Betonung, die, -en	Die Betonung liegt auf diesem Wort.
	Körpersprache, die, -n	Seine Körpersprache drückt mehr aus als Worte.
	hoch (2)	Sie müssen hoch in den fünften Stock gehen.
	Stimme, die, -n	Der Sänger hat eine schöne Stimme.
	Satzanfang, der, "-e	Ich habe den Satzanfang nicht verstanden.

Übungen

Ü **1**	*Schichtarbeiter/in, der/die, -/-nen*	Schichtarbeiter müssen oft nachts arbeiten.
	hart	Ja, das ist hart.

Florist/in, der/die, -en/-nen	....	Sie liebt Blumen. Sie will Floristin werden.
Gärtnerei, die, -en	....	Sie hat sich bei einer Gärtnerei beworben.
Feierabend, der, -e	....	Ich will jetzt nicht an die Arbeit denken. Ich habe Feierabend!
Flugzeugbauer/in, der/die, -/-nen	....	Flugzeugbauer ist ein interessanter Beruf.
Kommunikationswissenschaften, die, Pl.	....	Ella hat Kommunikationswissenschaften studiert.
Band, die, -s	....	Diese Band macht gute Musik.
chaotisch	....	Entschuldige, meine Wohnung sieht chaotisch aus.
Ü2 *Talent,* das, -e	....	Der junge Musiker hat viel Talent.
Bit, das, -s	....	+ Wie viel ist ein Bit?
Byte, der, -s	....	– Ein Byte besteht aus acht Bits.
Fachinformatiker/in, der/die, -/-nen	....	Er ist ein erfahrener Fachinformatiker.
Zahntechniker/in, der/die, -/-nen	....	Seine Freundin ist Zahntechnikerin.

befristet		Ihre Stelle ist auf ein Jahr befristet.
Zahnarztpraxis, *die,* Pl.: Zahnarztpraxen		Mein Zahnarzt hat eine moderne Zahnarztpraxis.
Mediendesigner/in, *der/die,* -/-nen		Mediendesigner ist ein kreativer Beruf.

Ü2a **bieten,** geboten .... Das Kino bietet ein gutes Programm.

Ü2b **Webdesign,** *das, -s* .... Haben Sie Erfahrung in Webdesign?

Babypause, die, -n .... Nach der Geburt ihrer Tochter macht sie eine Babypause.

Ü3 **Geburtsdatum,** das, * .... + Wie ist dein Geburtsdatum?
– 16.01.1969.

Teil, der, -e .... Das ist nur ein Teil. Der Rest kommt später.

Geburtsort, der, -e .... München ist sein Geburtsort.

Ü4 **Dolmetscher/in,** der/die, -/-nen .... Sie ist Dolmetscherin für Russisch.

Grafiker/in, der/die, -/-nen .... Er ist Grafiker bei einer Zeitung.

Ü5 **Musikinstrument,** das, -e .... Meine Kinder lernen alle ein Musik-instrument.

Ü7	**tippen**	....	Die Sekretärin tippt den Brief.
	Übersetzer/in, der/die, -/-nen	....	Er kann perfekt Spanisch. Er ist Übersetzer.
Ü8	**Karriere,** die, -n	....	Sie möchte Karriere machen und viel Geld verdienen.
Ü9	**unsicher** ≠ sicher	....	Als Berufsanfänger ist man oft unsicher.
	deshalb	....	Deshalb braucht man manchmal Hilfe.
Ü10	**zurzeit**	....	Zurzeit habe ich Urlaub.
	Signalton, der, "-e	....	Bitte sprechen Sie nach dem Signalton.
Ü11	*Modell, das, -e*	....	Dieses Modell ist der Renner!

Station 3

1 Berufsbild Ergotherapeutin

Ergotherapeut/in, *der/die,*
-en/-nen .... Sie arbeitet als Ergotherapeutin.

1 **2** a **Zeile,** *die, -n* .... Ich habe nur ein paar Zeilen gelesen.

Konzentration, *die, ** .... Er hat Probleme mit der Konzentration.

Therapie, *die, -n* .... Dagegen hilft eine Therapie.

speziell .... Es gibt auch spezielle Übungen, die helfen.

Bewegung, *die, -en* .... Bewegung ist wichtig. Ich treibe viel Sport.

basteln .... Kinder basteln gern.

Material, *das, Pl.:*
Materialien .... Welche Materialien benutzt ihr?

Holz, *das, �097-er* .... Als Tischler arbeitet er viel mit Holz.

verbessern .... Ich möchte meine Kenntnisse verbessern.

Berufsfachschule, die, -n		Geh doch zu einer Berufsfachschule.
Fachschulunterricht, der, *		Der Fachschulunterricht ist interessant.
Mischung, die, -en		Ich mag die Mischung aus Praxis und Theorie.
Theorie, die, -n		Die Theorie ist aber manchmal langweilig.
Berufsalltag, der, *		Im Berufsalltag lernt man am meisten.
Seniorenheim, das, -e		Meine Großmutter wohnt im Seniorenheim.
alltäglich		Wir sprechen über alltägliche Probleme.
hyperaktiv		Viele Kinder sind heute hyperaktiv.
nachbauen		Er baut das Modell nach.
konzentriert		In seinem Büro kann er konzentriert arbeiten.
1 2 b *dreijährig*		Sie hat eine dreijährige Tochter.
1 4 a *einsammeln*		Sie sammelt das Geld für das Geschenk ein.
aufspringen, aufgesprungen		Wer zuerst aufspringt, hat gewonnen.
1 4 b *aufstellen*		Bitte stellt euch in dieser Reihenfolge auf.

rechte	....	Ich kann nur mit der rechten Hand schreiben.
1 5 b *zurückkommen,* *zurück-gekommen*	....	Wir sind gestern aus dem Urlaub zurückgekommen.

2 Wörter – Spiele – Training

2 1 *Beruferaten, das, **	....	Beruferaten ist ein lustiges Spiel.
2 1 b *tagsüber*	....	Tagsüber arbeite ich viel.
nachts	....	Nachts schlafe ich.
2 2 *setzen (sich)*	....	Setzen Sie sich doch.
diktieren	....	Hast du den Brief diktiert?
Bauarbeiter/in, der/die, -/-nen	....	Ihr Mann ist Bauarbeiter.
2 3 *mündlich*	....	Diese Übung machen wir mündlich.
2 4 *zusammenzählen*	....	Ich muss die Punkte zusammenzählen.
Punkt, der, -e	....	Ich habe 70 von 100 Punkten.
Auflösung, die, -en	....	Kennst du die Auflösung des Rätsels?

hektisch	....	Immer bist du so nervös und hektisch.
Picknick, *das, -s und -e*	....	Wir machen ein Picknick im Park.
Parkplatzsuche, *die, **	....	Die Parkplatzsuche hat lange gedauert.

3 Grammatik und Evaluation

3 1 **drittgrößte**	....	Ist München die drittgrößte Stadt Deutschlands?
scheinen, *geschienen*	....	Die Sonne hat den ganzen Tag geschienen.
Mountainbike, *das, -s*	....	Er fährt gern mit seinem Mountainbike.
Vogelreservat, *das, -e*	....	Wir fahren heute ins Vogelreservat.
Vogelart, *die, -en*	....	Da kann man viele Vogelarten sehen.
Art, *die, -en*	....	Es gibt auch seltene Arten.
3 2 **Wortstellung,** *die, **	....	Die Wortstellung in der deutschen Sprache ist manchmal schwer.
3 6 **Generation,** *die, -en*	....	In unserem Haus leben drei Generationen.
Bäckerei, *die, -en*	....	Heute gibt es keine Brötchen. Die Bäckerei hat zu.
Älteste, *der, -n*	....	Mein Großvater ist der Älteste. Er ist 95.

4❶ **Sp_u_r,** *die, -en (auf den Spuren von jdm)* .... Im Schnee kann man die Spuren gut sehen.

4❶a **F_i_lmausschnitt,** *der, -e* .... Ich habe einen Filmausschnitt gesehen.

_Au_sschnitt, *der, -e* .... Der Ausschnitt war schön, ich will den ganzen Film sehen.

4❶b **_Ei_nkaufspassage,** *die, -n* .... In der Einkaufspassage findet man alles.

G_a_rtenhaus, *das, "-er* .... Goethe hat oft im Gartenhaus gearbeitet.

4❸ **Pf_e_rdeschlitten,** *der, -* .... Im Winter könnt ihr Pferdeschlitten fahren.

_Ei_slaufen, *das, ** .... Eislaufen macht auch Spaß.

_Ei_shockeyspiel, *das, -e* .... Wer hat das Eishockeyspiel gewonnen?

4❹ **Gl_a_shütte,** *die, -n* .... Mein Großvater hat in einer Glashütte gearbeitet.

4❹a **w_ei_terziehen,** *w_ei_tergezogen* .... Die Vögel ziehen weiter nach Süden.

4❹b **v_o_rfinden,** *v_o_rgefunden* .... Dort finden sie ein besseres Klima vor.

H_ü_tte, *die, -n* .... In unserem Garten gibt es auch eine Hütte.

Produktion, die, -en .... Für die Produktion von Papier braucht man Holz.

schlagen, geschlagen .... Aber man darf nicht so viele Bäume schlagen.

4 6 a *ungewöhnlich ≠ gewöhnlich* .... Diese Kälte im Juli ist ungewöhnlich.

5 Magazin: Tiere in der Zeitung

witzig .... Warum lachst du? Das ist gar nicht witzig!

menschlich .... Fehler sind menschlich.

Bundespräsident/in, der/die, -en/-nen .... Unser Bundespräsident ist der beste!

unersetzlich .... Ja, er ist einfach unersetzlich.

Überschrift, die, -en .... In der Zeitung lese ich nur die Überschriften.

überfliegen, überflogen .... Ich überfliege die Artikel nur.

zusammenfassen .... Kannst du den Text kurz zusammenfassen?

Tierische, das, * .... Es ist ein Text über das Tierische im Menschen.

Husky-Hündin, die, -nen .... Meine Husky-Hündin läuft Rennen.

Fr<u>au</u>chen, das, -	....	Du bist das Frauchen von der Husky-Hündin?
b<u>e</u>llen	....	Mein Hund Struppi bellt ziemlich laut.
w<u>e</u>cken	....	Dann weckt er alle Nachbarn.
B<u>ü</u>rgermeister/in, der/die, -/-nen	....	Ist das der Bürgermeister von Bremen?
R<u>e</u>ttung, die, -en	....	Danke für die Hilfe. Du bist meine Rettung.
Jumbo Jet, der, -s	....	Fliegt ihr mit dem Jumbo Jet?
Passag<u>ie</u>rraum, der, "-e	....	Der Jet hat einen großen Passagierraum.
Passag<u>ie</u>r/in, der/die, -/-nen	....	Wie viele Passagiere passen hinein?
an B<u>o</u>rd	....	Es sind 300 Passagiere an Bord.
T<u>y</u>p, der, -en	....	Das ist ein Flugzeug vom Typ Boeing 747.
Jet, der, -s	....	Der Jet kann nicht starten.
bl<u>i</u>nde Passag<u>ie</u>r/in, der/die, -e/-nen	....	Die Polizei sucht einen blinden Passagier.
Airline, die, -s	....	Ich fliege oft mit dieser Airline.

Gefahr, *die, -en*	....	James Bond ist immer in Gefahr.
Kabel, *das, -*	....	Der Computer geht nicht. Ist das Kabel kaputt?
durchbeißen, *durchgebissen*	....	Oh nein, eine Maus hat es durchgebissen!
umbuchen	....	Wir müssen den Flug umbuchen.
Klingeln, *das, **	....	Hast du das Klingeln an der Tür nicht gehört?
Bericht, *der, -e*	....	Ich muss den Bericht noch schreiben.
Provinz, *die, -en*	....	In der Provinz passiert nicht so viel.
Kuhstall, *der, "-e*	....	Die Kühe laufen allein in den Kuhstall.
schießen, *geschossen*	....	+ Hat da jemand geschossen?
Jäger/in, *der/die, -/-nen*	....	− Ja, das war bestimmt ein Jäger.
Herrchen, *das, -*	....	Jeder Hund liebt sein Herrchen.
verletzen	....	Bei dem Unfall wurden viele Leute verletzt.
Unglück, *das, **	....	Was für ein Unglück!
Jagd, *die, -en*	....	Diese Hunde sind gut für die Jagd.

Dackel, der, -	....	Ich mag kleine Dackel lieber.
loslassen, losgelassen	....	Im Wald lässt der Jäger die Hunde los.
Gewehr, das, -e	....	Er schießt Vögel mit seinem Gewehr.
treten, getreten	....	Aua! Du hast mich getreten!
Abzug, der, "-e	....	Er hat den Finger schon am Abzug.
Schuss, der, "-e	....	Dann hört man den Schuss.
losgehen, losgegangen	....	Plötzlich ist ein Schuss losgegangen.
betrunken (sein)	....	Nach der Party war er sehr betrunken.
schwedisch	....	Ich mag die schwedische Natur.
Elch, der, -e	....	Dort gibt es Elche. Das sind schöne Tiere.
randalieren	....	Aggressive Typen haben hier randaliert.
Genuss, der, "-e	....	Dieser gute Wein ist ein Genuss.
faul	....	Er arbeitet nie. Er ist einfach faul.
normalerweise	....	Normalerweise mag ich keine faulen Leute.

*fr**ie**dlich*		Unser Dorf ist sehr friedlich.
Polizist/in, *der/die, -en/-nen*		Die Polizistin kümmert sich um den Verkehr.
*fr**e**ssen, gefr**e**ssen*		Alle Katzen fressen gern Fisch.
Polizeikommando, *das, -s*		Das Polizeikommando ist sofort zur Stelle.
*aggress**i**v*		Betrunkene Leute sind oft aggressiv.
M**e**nge, *die, -n*		Es gibt eine Menge Cafés im Zentrum.
*enth**a**lten, enth**a**lten*		Dieser Wein enthält wenig Alkohol.
E**i**chhörnchen, *das, -*		Im Park gibt es viele Eichhörnchen.
*r**e**nnen, ger**a**nnt*		Sie können sehr schnell rennen.
Gra**u**hörnchen, *das, -*		Grauhörnchen sind auch süß.
Strafraum, *der, ¨-e*		Jetzt kommt der Ball in den Strafraum.
***e**i**nwandern*		Meine Eltern sind in den 60er Jahren in Deutschland eingewandert.
verdrängen		Ich verdränge meine Probleme gerne.
*rob**u**st*		Mein Fahrrad ist alt, aber sehr robust.

zurẹchtkommen, *zurẹcht-gekommen*	....	Wie kommst du alleine zurecht?
mịtten in	....	Ich habe eine schöne Wohnung mitten in der Stadt.
Hạlbzeit, *die, -en*	....	In der Halbzeit kommen die Nachrichten.
Zụschauer/in, *der/die, -/-nen*	....	Die Zuschauer im Stadion sind begeistert.
Tọr, *das, -e*	....	Der Ball ist im Tor!
rụmturnen	....	Die Kinder turnen im Zimmer rum.
irgendwọ	....	Irgendwo ist mein Führerschein, aber wo?
verjạgen	....	Er hat die Katze verjagt.

10 Feste und Geschenke

Brạuch, *der, "-e*	....	Das ist ein alter Brauch in unserem Dorf.
Bedịngung, *die, -en*	....	Viele Menschen arbeiten unter schlechten Bedingungen.

Folge (2), die, -n .... Die Folge ist, dass sie krank werden.

scharf, schärfer, am .... Das Essen ist aber scharf!
schärfsten

flüstern .... Nicht so laut! Wir müssen flüstern.

1 Feste und Bräuche

1 *Maß, die, -* .... Komm, trink noch eine Maß mit.

Oktoberfest, das, -e .... Sie fahren jedes Jahr aufs Oktoberfest.

Weihnachtspyramide, die, -n .... Wir haben eine Weihnachtspyramide
aus dem Erzgebirge.

verkleiden .... Alle Kinder verkleiden sich gern.

Weihnachtsbaum, der, "-e .... Die Geschenke liegen unter dem Weihnachtsbaum.

Kürbis, der, -se .... + Isst du gern Kürbis? – Ja, als Suppe.

Brezel, die, -n .... Zum Bier gibt es in Bayern oft eine
Brezel.

Valentinstag, der, -e .... Am Valentinstag schicke ich dir eine
Karte.

Halloween, das, * .... Heute ist Halloween. Hast du Angst?

1 2 Import, der, -e   Der Import von spanischen Weinen läuft gut.

1 2 a Region, die, -en   In dieser Region spricht man Dialekt.

deutschsprachig   + Meine Eltern sind nicht deutschsprachig.

Ursprung, der, "-e   – Welche Ursprünge hat deine Familie denn?

Einwanderer/Einwanderin, der/die, -/-nen   + Sie sind russische Einwanderer.

Kerze, die, -n   Eine Kerze auf dem Tisch finde ich schön.

hineinstellen   Hast du die Kerze schon hineingestellt?

vertreiben, vertrieben   Wie müssen die Katzen aus dem Garten vertreiben, sie jagen die Vögel.

böse   Lass sie doch, sie sind nicht böse.

Geist, der, -er   Glaubst du an Geister?

Süßigkeit, die, -en   Süßigkeiten sind schlecht für die Zähne.

Liebespaar, das, -e   Sie sind ein schönes Liebespaar.

Liebste, der/die, -n   Heute gehe ich mit meinem Liebsten essen.

amerikanisch	....	Halloween ist doch ein amerikanisches Fest.
Valentine, der, -s	....	+ Meinst du, er bekommt viele Valentines?
eher	....	– Eher nicht.
gegenseitig	....	+ Wir können uns gegenseitig welche schicken.
Überraschung, die, -en	....	– Das ist aber keine Überraschung mehr.

2 Feste im Jahreslauf

Jahreslauf, der, "-e	....	Im Jahreslauf gibt es viele Feste.
2 1 b **Karneval,** der, -e oder -s	....	In Köln feiert man den Karneval.
Tradition, die, -en	....	Das ist eine alte Tradition.
Rosenmontag, der, -e	....	Am Rosenmontag geht in Köln niemand zur Arbeit.
Kostüm, das, -e	....	Alle Leute tragen ein Kostüm.
alemannische Fasnacht, die, *	....	Heute feiern wir die alemannische Fasnacht.
traditionell	....	Unsere Familie ist sehr traditionell.

Maske, die, -n		Wer bist du? Nimm die Maske ab.
Osterhase, der, -n		Am Sonntag kommt der Osterhase.
verstecken		Er versteckt Süßigkeiten und bunte Eier.
Osterei, das, -er		Die bunten Eier nennt man Ostereier.
Eierklopfen, das, *		Ich habe das Eierklopfen gewonnen.
Sommerfest, das, -e		Unsere Firma feiert jedes Jahr ein Sommerfest.
je		Je nach Wetter feiern wir drinnen oder draußen.
Straßenfest, das, -e		+ Kommst du mit aufs Straßenfest?
Erntefest, das, -e		− Nein, wir fahren aufs Land zum Erntefest.
Tanz, der, "-e		Da gibt es Tanz und gutes Essen.
Ernte, die, -n		Dieses Jahr war die Ernte sehr gut.
Almabtrieb, der, -e		Beim Almabtrieb laufen die Kühe durch die Straßen.
Heilige Abend, der, *		Am Heiligen Abend ist die Familie zusammen.
Weihnachtsmann, der, "-er		+ Glaubst du noch an den Weihnachtsmann?

Christkind, das, *		– Nein, zu uns kommt das Christkind.
Jahresende, das, *		Wir fahren am Jahresende oft weg.
Silvester, das, *		Silvester machen wir eine große Party.
Feuerwerk, das, -e		Natürlich gibt es ein schönes Feuerwerk.
anstoßen, angestoßen		Um null Uhr stoßen wir an.
Sekt, der, -e		Wir trinken viel Sekt.
Prosit Neujahr!		Es ist 24 Uhr! Prosit Neujahr!
Frohes neues Jahr!		Frohes neues Jahr! – Danke, gleichfalls!
2 **3** *Grillparty, die, -s*		Wir feiern eine Grillparty im Garten.
2 **5** a *Merkvers, der, -e*		Merkverse helfen beim Lernen.
Vers, der, -e		Wie geht der Vers denn?
merken		Ich weiß nicht, ich kann mir keine Verse merken.
Rhythmus, der, Pl.: Rhythmen		Das Lied hat einen tollen Rhythmus.
Reim, der, -e		„Ich bin klein, mein Herz ist rein". Den Reim kennt jeder, oder?

fit .... Er ist fit. Er läuft jeden Tag 15 km.

2 5 b lösen .... Kannst du diese Aufgabe lösen?

3 Feste und Geschenke

3 1 a Gutschein, der, -e .... Ich habe noch einen Kino-Gutschein.
Ich kann dich einladen.

Kuss, der, "-e .... Tschüss und viele Küsse.

Socke, die, -n .... Wo ist die zweite Socke?

Mülleimer, der, - .... Der Mülleimer ist voll!

Badeschaum, der, "-e .... Frauen schenken gern Badeschaum.

Gummibaum, der, "-e .... Ich freue mich über einen Gummibaum.

3 2 *kränken* .... Ich bin traurig. Er hat mich gekränkt.

Tuch, das, "-er .... Sie trägt ein grünes Tuch.

Sparbuch, das, "-er .... Hast du noch Geld auf dem Sparbuch?

Knutschfleck, der, -en .... Du hast ja einen Knutschfleck! Wer war das?

Bumerang, der, -s oder -e .... Der Bumerang kommt wieder zurück.

Matratze, die, -n .... Sie hat eine neue Matratze für ihr Bett.

3 3 a Übertreibung, die, -en ....

Idee, die, -n .... Was können wir tun? Habt ihr eine Idee?

3 3 b *Stille Post, die, ** .... Wollen wir Stille Post spielen?

4 Verben mit Dativ- und Akkusativergänzung

4 1 Parfüm, das, -s .... Er hat ihr Parfüm noch in der Nase.

4 2 *Taschenmesser, das, -* .... Zum Camping nehme ich mein Taschenmesser mit.

4 3 a weitergehen, weiter-
gegangen .... Und dann? Wie geht die Geschichte weiter?

ignorieren .... Dieses Problem kann man nicht ignorieren.

Lotto, das, * .... Hast du wirklich im Lotto gewonnen?

Lottoschein, der, -e .... Ja, hier ist mein Lottoschein.

4 4 Videospiel, das, -e .... Die Kinder spielen zu viele Videospiele.

5 Bedingungen und Folgen: Nebensätze mit *wenn*

5 1 **Brand,** der, "-e .... Der Brand ist eine Katastrophe für uns. Das Haus kann man nicht mehr retten.

echt (2) .... Ist der Goldring echt?

romantisch .... Küsse im Sommerregen sind romantisch.

elektrisch .... Hast du keinen elektrischen Rasierer?

trocken .... Doch, ich rasiere mich immer trocken.

Gardine, die, -n .... Mach die Gardinen zu! Man sieht ja alles.

paar .... Hast du ein paar Briefmarken für mich?

Eimer, der, - .... Der Eimer ist voll Wasser.

5 3 **gelaunt** (sein) .... Heute bin ich schlecht gelaunt.

5 4 **Laune,** die, -n .... Du hast doch nie schlechte Laune.

6 Ostern – ein Fest in vielen Ländern

6 1 a **Ausflug,** der, "-e .... Wir machen am Sonntag einen Ausflug.

Picknick, das, -s oder -e .... Wir machen ein Picknick im Park.

Ostersonntag, der, -e		Ostersonntag suchen wir Ostereier.
zusammenschlagen, *zusammengeschlagen*		Sie schlagen die Hände zusammen.
färben		Hast du die Eier schon gefärbt?
bemalen		Wir haben die Eier mit Wasserfarben bemalt.
Osterrute, *die, -n*		Die jungen Männer haben Osterruten.
braten, gebraten		Magst du gebratene Eier?
Lamm, das, "-er		Bei uns isst man Lamm zu Ostern.
heilig		In der Kirche feiert man die heilige Messe.
Prozession, *die, -en*		Es gibt eine Prozession durch das Dorf.
prächtig		Die Kostüme sehen prächtig aus.
Figur, die, -en		+ Ist das ein Mensch? – Nein, nur eine Figur.

Übungen

Ü4 a schrecklich

.... + Wie war die Party?
– Schrecklich, der totale Horror.

Laden, der, "- *(hier: Blumen-*
laden) .... Wann macht der Laden auf?

cool

.... Deine Sonnenbrille ist echt cool.

Ü5 a *ursprünglich*

.... Meine Familie kommt ursprünglich aus
Polen.

zurückwandern

.... Meine Eltern sind wieder nach Polen
zurückgewandert.

Ü6 a Vorbereitung, die, -en

.... Wie ist die Vorbereitung auf die Prüfung
gelaufen?

Gänsebraten, der, -

.... Am ersten Weihnachtstag gibt es bei uns
Gänsebraten.

Ü8 Fotograf/in, der/die,
-en/-nen .... Kommt ein Fotograf zu eurer Hochzeit?

Ü9 a Paket, das, -e

.... Du hast Post. Ein großes Paket.

Ü12 a *Mutti,* die, -s

.... Sagst du Mutti oder Mama zu deiner
Mutter?

Ü13 unbekannt ≠ bekannt

.... Das ist ein ganz unbekanntes Tier.

Schöne, der/die, -n

.... + Guten Tag, meine Schöne!
– Hallo, Schatz.

Angst, die, "-e .... Sie hat Angst vor Spinnen.

Wikinger/in, der/die, -/-nen .... Die Wikinger waren immer auf Seefahrt.

11 Mit allen Sinnen

Sinn, der, -e .... Manchmal hat man einen siebten Sinn.

Textgrafik, die, -en .... Diese Textgrafik soll man ergänzen.

zusammenfassen .... Könnt ihr den Text zusammenfassen?

dehnen .... Beim Yoga dehnt man den ganzen Körper.

1 Gesichter lesen

Gesicht, das, -er .... Der alte Mann hat ein ernstes Gesicht.

Antipathie, die, -n .... Er hat eine Antipathie gegen mich.

Aggression, die, -en .... Aggressionen machen mir Angst.

Freundlichkeit, die, -en

....

Die Freundlichkeit der Leute hier ist angenehm.

nervös

....

Der Stress bei der Arbeit macht mich nervös.

ärgerlich

....

Er ist ärgerlich, weil sie immer zu spät ist.

entspannt

....

Im Urlaub bin ich ganz entspannt.

Gesichtsausdruck, der, "-e

....

Du hast so einen ernsten Gesichtsausdruck. Ist was?

1️⃣ **Emotion,** die, -en

....

Er zeigt keine Emotion.

erschrecken (sich)

....

Musst du mich so erschrecken?

Wut, die, *

....

Ich habe eine große Wut auf meinen Chef.

Ärger, der, *

....

Wir haben oft Ärger im Büro.

Ekel, der, *

....

Den Ekel vor Mäusen verstehe ich nicht.

eklig

....

Einige Leute finden Spinnen eklig.

ekeln (sich) (vor etw.)

....

Ich ekle mich nie vor Tieren.

Trauer, die, *

....

Nach dem Unglück war die Trauer groß.

trauern (um etw.)

....

Er trauert um seine Mutter.

1 2 b igitt .... Igitt, das Essen ist ja voller Haare!

stinksauer .... Ich bin stinksauer auf den Koch.

Riesenwut, die, * .... Ich habe sogar eine Riesenwut.

Wahnsinn! .... Ich habe im Lotto gewonnen.
Wahnsinn!

Klasse! .... Klasse! Das hast du gut gemacht!

1 3 positiv .... Freude ist eine positive Emotion.

negativ .... Wut ist nicht immer negativ.

fantastisch .... Das ist ja fantastisch!

Was ist los? .... Was ist los? Was hast du?

sauer .... Ich bin sauer auf dich.

1 4 dazu: etw. dazu sagen .... Also, dazu möchte ich etwas Wichtiges
sagen.

2 Ein deutscher Liebesfilm

2 ❶ **Erbse,** die, -n

.... Isst du gern Erbsen?

emotional

.... Sie reagiert oft sehr emotional.

mitreißend

.... Das Konzert gestern war mitreißend.

näher kommen (sich)

.... Später sind wir uns näher gekommen.

Dreharbeiten, die, *Pl.*

.... Die Dreharbeiten für den Film waren chaotisch.

Tragikomödie, die, -n

.... Der Film ist eine Tragikomödie.

sympathisch

.... Ich finde den Schauspieler sympathisch.

humorvoll

.... Er ist humorvoll. Man kann mit ihm lachen.

Weise, die, -n

.... Diese Art und Weise gefällt mir nicht.

Blindheit, die, *

.... Er kann seine Blindheit nicht akzeptieren.

widmen

.... Er widmet sich ganz seiner Kunst.

Theaterregisseur/in, der/die, -e/-nen

.... Sie ist Theaterregisseurin am National-theater.

Autounfall, der, "-e		Er hatte einen Autounfall. Das Auto ist kaputt.
schuld sein, war, gewesen		Der andere Fahrer war schuld an dem Unfall.
blind		Sie sieht nichts, sie ist blind.
verzweifelt		Seine Frau ist gestorben. Er ist verzweifelt.
Regisseur/in, der/die, -e/-nen		Almodóvar ist ein spanischer Regisseur.
Nagel, der, "- *(etw. an den Nagel hängen)*		Ich habe genug! Ich hänge meinen Beruf an den Nagel.
trennen (sich von jdm)		Er will sich von seiner Frau trennen.
todkrank		Sie stirbt bald. Sie ist todkrank.
zurechtfinden (sich), zurechtgefunden		Findest du dich in der neuen Stadt schon zurecht?
Handlung, die, -en		Ich will die Handlung des Films nicht wissen.
Blinde, der/die, -n		Der Blinde hat einen Blindenhund.
gefährlich		Der Hund ist nicht gefährlich.

Komik, *die,* *
....
+ Ich verstehe die Komik der Situation nicht.

Humor, *der,* *
....
– Ach, du hast keinen Humor!

Schicksal, das, -e
....
Ich habe ihn getroffen. Es war Schicksal.

zueinander finden, *gefunden*
....
Wir haben sofort zueinander gefunden.

Stein, der, -e
....
Es gibt Menschen, die sammeln Steine.

Orientierung, die, *
....
Ich habe keine Orientierung. Wo sind wir?

im Dunkeln
....
Im Dunkeln kann man gar nichts sehen.

Trick, der, -s
....
Pass auf dein Geld auf, das ist ein billiger Trick.

2 4 Actionfilm, der, -e
....
Magst du Actionfilme?

Thriller, der, -
....
Ich sehe mir gern Thriller an.

Komödie, die, -n
....
Abends im Bett gucke ich nur Komödien.

Hauptrolle, die, -n
....
Wer spielt in dem Film die Hauptrolle?

2 5 a Leistung, die, -en
....
Seine Chefin ist mit seiner Leistung zufrieden.

Filmfestival, *das, -s*
....
Sie fahren zum Filmfestival nach Cannes.

Shooting Star, *der, -s* .... Er ist ein Shooting Star in Hollywood.

Verfilmung, *die, -en* .... Das ist die Verfilmung seines Lebens.

Schauspielschule, *die, -n* .... Er ist auf die Schauspielschule gegangen.

Filmpreis, *der, -e* .... Er will den Filmpreis gewinnen.

Nebenrolle, *die, -n* .... Aber er spielt nur eine kleine Nebenrolle.

Magazin, *das, -e* .... Er gibt ein Interview für ein Magazin.

Blindentrainer/in, *der/die,* .... Der Blinde arbeitet mit einem Blinden-
-/-nen trainer.

3 Strategien und Strukturen

Strategie, die, -n .... Was jetzt? Ich brauche eine klare
Strategie.

3 1 a Kapitän/in, der/die, -e/-nen .... Der Kapitän liebt das Meer.

Passagier/in, der/die, ... Auf dem Schiff sind über 200 Passagiere.
-e/-nen

orientieren (sich) .... Er kann sich überall schnell orientieren.

3 **1** b	**Gedächtnis,** das, -se		Er vergisst alles. Er hat ein schlechtes Gedächtnis.
3 **4**	*Morgengymnastik, die,* *		Ich mache jeden Tag Morgengymnastik.
	rechte		Ich dehne zuerst das rechte Bein.
	linke		Dann hebe ich den linken Arm.
3 **6**	**Dame,** die, -n		Ich kenne diese Dame nicht.
	Horror, der, *		Schrecklich. Das ist der Horror.
3 **8**	**Bewegung,** die, -en		Ich brauche mehr Bewegung. Ich fahre jetzt Fahrrad.
3 **9**	**Zeichnung,** die, -en		Die Zeichnung ist in schwarz/weiß.
	setzen		Sie setzt das Kind auf den Stuhl.

4 Anette Stramel, Deutschlehrerin

4 **1**	*Brailleschrift, die,* *		Brailleschrift = Blindenschrift
	Schrift, die, -en		Ich kann deine Schrift nicht lesen.
4 **2** a	**Zeile,** die, -n		Diese Zeilen verstehe ich nicht.
	Lehrbuch, das, "-er		Das Lehrbuch hat 164 Seiten.

Mobilitätshilfe, die, -n	....	Ein Blindenhund ist eine Mobilitätshilfe.
4 2 b *Privatunterricht, der, **	....	Er gibt zu Hause Privatunterricht.
Anrufer/in, der/die, -/-nen	....	Wer ist am Telefon? Ich kenne den Anrufer nicht.
Hörtext, der, -e	....	Der Hörtext ist auf der CD im Buch.
Arbeitsmittel, das, -	....	Karteikarten sind ein gutes Arbeitsmittel.
sehbehindert	....	Helfen Sie mir bitte über die Straße? Ich bin sehbehindert.
Migrant/in, der/die, -en/-nen	....	In Deutschland leben viele Migranten.
gleichzeitig	....	Ich kann nicht gleichzeitig Musik hören und lesen.
Blindenschrift, die, *	....	Kannst du Blindenschrift?
Punkt, der, -e	....	Am Ende des Satzes steht ein Punkt.
mathematisch	....	Ich kann nicht gut mathematisch denken.
Note, die, -n	....	Kannst du nach Noten singen?
Lernende, der/die, -n	....	Die Lernenden haben täglich Unterricht.
Alltag, der, *	....	Mein Alltag ist viel zu stressig.

*L**a**ngstock, der, "-e*		Der Blinde findet den Weg mit dem Langstock.
Arbeitsblatt, das, "-er		Hast du die Arbeitsblätter kopiert?
Re**nte,** die, -n: in Rente sein		Mein Vater arbeitet schon lange nicht mehr. Er ist in Rente.
Amtssprache, die, -n		In Tunesien ist Französisch die Amtssprache.
4 **4** a **übertr**a**gen,** übertr**a**gen		Ich übertrage die Daten in mein Adressbuch.
Internetanschluss, der, "-e		Sie hat noch keinen Internetanschluss in der neuen Wohnung.
4 **5** n**e**tt		Die Leute im Deutschkurs sind sehr nett.
Tei**lnehmer/in,** der/die, -/-nen		Wir sind zwölf Teilnehmer und Teilnehmerinnen im Kurs.
4 **6** *R**e**dewendung, die, -en*		Wir lernen nützliche Redewendungen.
Li**cht,** das, -er		Es ist so dunkel. Mach doch mal Licht an.
Tu**nnel,** der, -		Jetzt fahren wir durch einen Tunnel.
kritisie**ren**		Ich hasse ihn. Immer kritisiert er mich!
*Person**a**lchef/in, der/die, -s/-nen*		Unsere Personalchefin ist sehr kühl.

Personal, das, * | Alle Personalchefs kritisieren ihr Personal.

zu viel | Unser Chef kritisiert zu viel!

Stecknadel, die, -n | Mach das Tuch doch mit einer Stecknadel fest.

Marketingabteilung, die, -en | Sie arbeitet in der Marketingabteilung.

Marketing, das, * | Das Marketing ist wichtig für eine Firma.

ein bisschen | Nimmst du ein bisschen Milch in den Kaffee?

optimistisch | Ich gucke optimistisch in die Zukunft.

Entwicklung, die, -en | Ja, es gibt positive Entwicklungen.

Übungen

Ü **1** b **Autor/in,** der/die, -en/-nen | + Kennst du die Autorin des Buches?

Ehefrau, die, -en | – Oh ja, sie ist meine Ehefrau.

theoretisch | + Den theoretischen Teil versteht aber niemand.

Bestseller, der, - | – Das Buch ist trotzdem ein Bestseller.

Amerikaner/in (2), der/die, -/-nen	....	Ist deine Frau Amerikanerin?
Berufsleben, das, *	....	Sie hat ein anstrengendes Berufsleben.
ängstlich	....	Sei nicht so ängstlich. Der Hund ist doch lieb.
Ü1 c **Leser/in,** der/die, -/-nen	....	Die Leser des Buches sind begeistert.
sorgen (sich)	....	Sorge dich nicht. Peter ist bald gesund.
Ü2 *jenseits*	....	Hier sind wir jenseits des Stadtlärms.
Stille, die, *	....	Herrlich, diese Stille in der Natur.
Klarinette, die, -n	....	Sie spielt sehr gut Klarinette.
Talent, das, -e	....	Ja, sie hat wirklich Talent.
Ü2 a *Aufnahmeprüfung, die, -en*	....	Sicher besteht sie die Aufnahmeprüfung.
gehörlos	....	Ihre Eltern können die Musik nicht hören. Sie sind gehörlos.
Konzertsaal, der, *Pl.:* Konzertsäle	....	Der Konzertsaal ist voll.
Ü4 a **worum**	....	Worüber redet ihr? Worum geht es?

	klassisch	....	Wir sprechen über klassische Musik.
	verletzen	....	Er ist verletzt. Er muss ins Krankenhaus.
	Premiere, die, -n	....	Wann ist die Premiere von „Hamlet"?
	Teppich, der, -e	....	Er geht über den roten Teppich.
Ü5	*Filmset, das, -s*	....	Der Regisseur steht am Filmset.
Ü6	*Regieassistent/in, der/die, -en/-nen*	....	Die Regieassistentin kocht Kaffee für alle.
Ü7	**Besteck,** das, -e	....	Ich habe ein neues Besteck. Die Gabeln sind hässlich.
Ü8	**Erfinder/in,** der/die, -/-nen	....	Wer ist der Erfinder der Kaffeemaschine?
	Morsecode, der, -s	....	+ Verstehst du Morsecode?
	Strich, der, -e	....	– Nein, für mich sind das nur Striche.

wozu	....	Wozu braucht man dieses Ding?
Zweck, der, -e	....	Es hat keinen Zweck. Es ist Kunst.
um zu	....	Er arbeitet, um Geld zu haben.
Vorgang, der, "-e	....	Das ist ein logischer Vorgang.

1   Erfindungen aus D-A-CH

1 **erfinden,** erfunden	....	Wer hat wann das Rad erfunden?
Jahreszahl, die, -en	....	Die Jahreszahl kann ich dir auch nicht sagen.
Aspirin, das, *	....	Mein Kopf tut weh! Hast du ein Aspirin?
Dieselmotor, der, -en	....	Das ist ein altes Auto mit Dieselmotor.
Kaffeefilter, der, -	....	Die Kaffeefilter sind schon wieder alle.
*Buchdruck, der, **	....	Gutenberg hat den Buchdruck erfunden.

Vakuum, das, *	....	+ Was ist ein Vakuum? – Ein luftleerer Raum.
Teebeutel, der, -	....	Er nimmt zwei Teebeutel. Der Tee wird stark.
Zahnpasta, die, *Pl.:* Zahn-pasten	....	Ich packe die Zahnpasta ins Waschzeug.
MP3-Format, das, -e	....	Die Datei ist im MP3-Format.
Klettverschluss, der, "-e	....	Die Schuhe haben Klettverschlüsse.
Schiffsschraube, die, -n	....	Das Schiff hat eine große Schiffs-schraube.
Zeitpunkt, der, -e	....	Du kommst zum richtigen Zeitpunkt.
1 **2** **Zahn,** der, "-e	....	Ich möchte weiße Zähne haben.
Zähne putzen	....	Ab ins Bad – Zähne putzen!
1 **3** b *Chemiker/in, der/die, -/-nen*	....	Sie hat lange als Chemikerin gearbeitet.
irgendwann	....	Aber irgendwann hatte sie keine Lust mehr.
produzieren	....	Deutschland produziert viele Autos.
Herzproblem, das, -e	....	Viele alte Leute haben Herzprobleme.

Medienrevolution, die, * .... Das Internet war eine Medienrevolution.

Produktion, die, -en .... In China ist die Produktion billiger als hier.

Schweizer/in, der/die, -/-nen .... Er ist Schweizer. Er kommt aus Genf.

faul .... An die Arbeit! Sei nicht so faul!

zubinden, zugebunden .... Er bindet sich die Schuhe zu.

Physiker/in, der/die, -/-nen .... Er ist Physiker von Beruf.

bewegen .... Beweg dich nicht! Ich mache ein Foto.

flach .... Die Landschaft im Norden ist flach.

Technologie, die, -n .... Die moderne Technologie fasziniert mich.

Forschungslabor, das, -e .... Die Chemikerin arbeitet im Forschungslabor.

Chip, der, -s .... Hast du einen Chip für den Einkaufswagen?

Seefahrt, die, -en .... Die Wikinger waren immer auf Seefahrt.

2 Erfindungen – wozu?

2 1 *Kühlung, die,* * .... Der Motor ist heiß. Die Kühlung geht nicht.

möglich (machen) .... Sein Vater macht ihm das Studium möglich.

entwickeln .... Die Kinder entwickeln sich schnell.

Fließband, das, "-er .... Viele Arbeiterinnen stehen täglich am Fließband.

Patent, das, -e .... Er hat ein Patent angemeldet.

nötig (sein) .... + Soll ich dir helfen?
– Nein, das ist nicht nötig.

Brauerei (Münchner), *die, -en* .... In dieser Brauerei macht man gutes Bier.

kühl .... Kühl schmeckt das Dessert am besten.

haltbar .... Dieser Käse ist mehrere Wochen haltbar.

transportieren .... Wie transportierst du den großen Tisch?

Professor/in, der/die, -en/-nen .... Er ist Professor an der Universität.

technisch .... Gibt es ein technisches Problem?

Kühlmaschine, die, -n .... Ja, die Kühlmaschine ist kaputt.

Serienproduktion, die, -en	....	Jetzt geht das Medikament in Serienproduktion.
Automobil, das, -e	....	Niemand sagt Automobil. Man sagt Auto.
lebendig	....	Wir führen die Tradition weiter und so bleibt sie lebendig.
2 **2** **bearbeiten**	....	Er muss den Text noch bearbeiten.
2 **3** **MP3-Player,** der, -	....	Wer hat den MP3-Player erfunden?
Patentamt, das, "-er	....	Frag doch beim Patentamt.
2 **4** c **Filtertüte,** die, -n	....	Ich brauche eine Filtertüte, um Kaffee zu machen.
2 **5** **Absicht,** die, -en	....	Entschuldige, das war keine Absicht.
2 **7** b **gleich**	....	Es ist spät. Ich muss gleich gehen.
2 **8** **Tatsache,** die, -n	....	Die Erde ist rund. Das ist eine Tatsache.

3 Schokolade

3 **1** *Kakaobohne, die, -n*	....	Diese Kakaobohnen kommen aus Nicaragua.
Kakao, der, *	....	Der Kakao schmeckt sehr gut.

importieren		Deutschland importiert Kaffee und Kakao.
Medizin, die, *		Nimm diese Medizin, dann geht es dir besser.
Trinkschokolade, die, -n		Eine heiße Trinkschokolade mit Sahne, bitte.
bitter		Igitt, die schmeckt ja bitter!
ändern		Ich kann die Situation leider nicht ändern.
so genannte		Das ist eine so genannte Conche.
Conche, die, -s (Abk. Conchiermaschine)		+ Wie heißt die Maschine? – Conche.
weich		Es ist so warm. Die Schokolade wird weich.
Prozess, der, -e		Diese Entwicklung war ein langer Prozess.
verbessern		Es ist nicht perfekt, man kann es verbessern.
Produktionsmethode, die, -n		Diese Produktionsmethode ist sehr modern.
formen		Man kann verschiedene Figuren formen.
Herstellung, die, *		Die Herstellung von Autos ist komplex.

AG, die, -s (Abk.: Aktiengesellschaft, die, -en) .... Er hat eine AG gegründet.

Mitarbeiter/in, der/die, -/-nen .... Er hat jetzt 7500 Mitarbeiter.

Umsatz, der, ¨-e .... Die Firma macht viel Umsatz.

Milliarde, die, -n .... Er hat schon eine Milliarde verdient.

Produzent/in, der/die, -en/-nen .... Der Produzent des Films ist bekannt.

Kräuter, die, *Pl.* .... Er kocht immer mit frischen Kräutern.

3 6 **abfüllen** .... Soll ich dir ein Glas Marmelade abfüllen?

zum Schluss .... In dem Film sterben zum Schluss alle.

3 7 a **herstellen** .... Was stellt diese Fabrik her?

4 Die süße Seite Österreichs

4 1 **überfliegen,** überflogen .... Ich habe die Zeitung nur schnell überflogen.

Sachertorte, die, -n .... Möchtest du ein Stück Sachertorte zum Tee?

Geheimnis, das, -se	....	Sag es niemandem. Es ist ein Geheimnis.
wohl	....	+ Du magst wohl keine Sachertorte?
streng	....	– Doch, aber ich habe einen strengen Ernährungsplan.
hüten	....	Wer hütet heute Abend die Kinder?
überzeugen	....	Das Argument überzeugt mich nicht.
einzigartig	....	Dieses Bild von Picasso ist einzigartig.
Geschmack, der, ̈-er	....	Der Geschmack ist mir zu bitter.
überraschen	....	Was machst du hier? Ich wollte dich überraschen.
Geschäftspartner/in, der/die, -/-nen	....	Er trifft seinen Geschäftspartner im Büro.
exklusiv	....	Dieses Angebot ist exklusiv für Sie!
jährlich	....	Wie viel verdient er jährlich?
von Hand	....	Diese Produkte sind von Hand hergestellt.
glacieren	....	Sie glaciert den Kuchen.

Rohstoff, der, -e	....	Bald gibt es auf der Erde zu wenig Rohstoffe.
verarbeiten	....	Wir verarbeiten nur die besten Rohstoffe.
Tonne, die, -n	....	Eine Tonne sind tausend Kilo.
Marillenmarmelade, die, -n	....	Die Marillenmarmelade schmeckt lecker.
Naturprodukt, das, -e	....	Wir verkaufen nur Naturprodukte.
Konservierungsmittel, das, -	....	Wir benutzen keine Konservierungsmittel.
markenrechtlich geschützt	....	Unsere Produkte sind markenrechtlich geschützt.
optimal	....	Wir bieten optimalen Service.
Haltbarkeit, die, *	....	Unsere Produkte haben eine lange Haltbarkeit.
gewährleisten	....	Wir können optimale Qualität gewährleisten.
empfehlen, empfohlen	....	Ich empfehle Ihnen diesen Wein zum Essen.
Lagerung, die, -en	....	Die richtige Lagerung des Weins ist wichtig.
ungesüßt	....	Ich trinke Kaffee lieber ungesüßt.
Schlagobers, der, * (österr. für Schlagsahne)	....	Aber süßen Schlagobers mag ich.

4 2 **Qualität,** die, -en	....	Die Qualität dieses Weines ist sehr gut.
lagern	....	Ich habe ihn auch optimal gelagert.
4 3 *Konditor/in,* der/die, -en/-nen	....	Dieser Konditor macht leckere Kuchen.
4 4 **Ablauf,** der, "-e	....	Wir müssen den Ablauf für morgen planen.
4 4 b **nach und nach**	....	Nach und nach gewöhne ich mich an alles.
Teig, der, -e	....	Der Teig für den Kuchen ist fertig.
rühren	....	Er rührt nervös in seiner Tasse.
Eischnee, der, *	....	Ist der Eischnee schon fest?
unterheben	....	Ja, du kannst ihn unter den Teig heben.
4 5 *Schokoladenfondue,* das, -s	....	Heute kommen Freunde zum Schokoladenfondue.
4 5 a **Jahreszeit,** die, -en	....	Das machen wir oft in der kalten Jahreszeit.
vorsichtig	....	Sei bitte vorsichtig mit den teuren Tellern.
erhitzen	....	Man muss die Schokolade vorsichtig erhitzen.
verrühren	....	Sie verrührt die Eier und das Mehl.

zugeben, zugegeben .... Dann gibt sie die Butter zu.

eintauchen .... Er taucht den Löffel in den Kaffee ein.

4 5 b Möhre, die, -n .... Isst du gern Möhren im Salat?

Mandel, die, -n .... Ich mag süße Mandeln.

enthalten, enthalten .... Dieser Wein enthält wenig Alkohol.

Kirschwasser, das, - .... Enthält das Kirschwasser Alkohol?

Kultobjekt, das, -e .... Diese Motorräder sind Kultobjekte.

Übungen

Ü 1 a weggehen, weggegangen .... Er ist nicht mehr da. Er ist weggegangen.

Ü 2 Jugend, die, * .... Mein Großvater musste schon in seiner Jugend arbeiten.

forschen .... Man forscht an einer neuen Technik.

Ü 2 b veranstalten .... Unsere Stadt veranstaltet ein Festival.

Forscher/in, der/die, -/-nen .... Dieser Forscher hat interessante Theorien entwickelt.

Studienreise, die, -n		Auf der Studienreise habe ich viel gelernt.
entdecken		Ich habe in der Küche eine Maus entdeckt.
Finale, das, -		Das Finale bei der WM war toll.
Fachgebiet, das, -e		+ Welches Fachgebiet studierst du?
Geowissenschaften, die, Pl.		− Ich studiere Geowissenschaften.
Raumwissenschaften, die, Pl.		Raumwissenschaften sind auch interessant.
Mathematik, die, *		Reine Mathematik finde ich langweilig.
Informatik, die, *		+ Studiert dein Bruder Informatik?
Physik, die, *		− Nein, er studiert Physik.
originell		Mein Onkel macht immer originelle Witze.
Ü3b *Schulfreund/in, der/die, -e/-nen*		Lisa ist eine alte Schulfreundin von mir.
Laptop, der, -s		Er kann im Zug mit dem Laptop arbeiten.
Ü5a *erteilen*		Leider muss ich Ihnen eine Absage erteilen.
Hauptsitz, der, -e		Der Hauptsitz der Firma ist in Hamburg.

Dienststelle, die, -n		Seine Dienststelle ist in Köln.
Ü6a **verpassen**		Sie hat den Zug leider verpasst.
Ü9a *Gummibärchen, das, -*		Kinder lieben Gummibärchen.
Bär, der, -en		Bären sind gefährliche Tiere.
Studie, die, -n		Das Ergebnis der Studie überrascht mich.
Ü9b *bei Jung und Alt*		Dieser Star ist bei Jung und Alt bekannt.
Untersuchung, die, -en		Das Ergebnis der Untersuchung ist negativ.
Ü10a **Masse,** die, -n		Die Masse wird verrührt.
Tortenform, die, -en		Dann gibt man sie in die Tortenform.
Backpulver, das, *		+ Hast du das Backpulver vergessen?
mischen		– Nein, ich habe das Backpulver unter das Mehl gemischt.
Eigelb, das, -e, *aber:* drei Eigelb		Dann habe ich das Eigelb getrennt.
Zutat, die, -en		Alle Zutaten werden verrührt.
Puderzucker, der, *		Am Schluss kommt Puderzucker drauf.

überzi̲ehen, überz̲o̲gen .... Der Kuchen wird mit Puderzucker über-
zogen.

rei̲ben, geri̲eben .... + Hast du die Möhre gerieben?

hinzu̲geben, hinzu̲gegeben .... – Ja, ich habe sie auch schon hinzu-
gegeben.

1 Berufsbild Hotelkaufmann/Hotelkauffrau

Hote̲lkaufmann/Hotel-
kauffrau, der/die, ¨-er, -en .... Er ist Hotelkaufmann von Beruf.

Ü **1** a *Hote̲lmanager/in, der/die,*
-/-nen .... Er will später Hotelmanager werden.

1 **1** a *bedi̲enen* .... Der Kellner bedient die Gäste.

1 **2** *Mi̲schung, die, -en* .... Jung und alt. Das ist eine gute Mischung.

Betri̲ebswirtschaft, die, * .... Er studiert Betriebswirtschaft.

Küchenführung, *die,* *	....	Der Hotelkoch hat eine perfekte Küchenführung.
Ernährungslehre, *die,* *	....	Kennst du dich mit Ernährungslehre aus?
Rezeption, *die, -en*	....	Ich arbeite im Hotel an der Rezeption.
Zimmerservice, *der,* *	....	Unser Zimmerservice gefällt den Gästen.
Betreuung, *die,* *	....	Die Betreuung der Kinder ist kein Problem.
Saison, *die, -s*	....	In dieser Saison kommen viele Touristen.
Atmosphäre, *die, -n*	....	Die Atmosphäre ist freundlich.
Gasthof, *der, "-e*	....	Wir haben 50 Betten im Gasthof.
Stammgast, *der, "-e*	....	Viele Stammgäste kommen jeden Sommer wieder.
wiederkommen, *wiedergekommen*	....	Wir hoffen, dass Sie auch wiederkommen.
1 3 a **_Ausbildungsberuf,_** *der, -e*	....	Friseur ist ein Ausbildungsberuf.
1 4 **Arbeitstag,** *der, -e*	....	Er hat einen langen Arbeitstag.
zusammenstellen	....	Stellen Sie sich Ihr Menü selbst zusammen!
einteilen	....	Ich muss mir mein Geld gut einteilen.

	bestätigen	....	Ich kann Ihre Vermutung bestätigen.
1 6	*Hotelhalle, die, -n*	....	Die Gäste sitzen in der Hotelhalle.
	Halle, die, -n	....	Im Winter trainieren die Spieler in der Halle.

2 Grammatik und Evaluation

	holen	....	Ich hole dir ein Bier aus dem Kühlschrank.
2 3	*Notizblock, der, "-e*	....	Ich schreibe die Adresse in den Notizblock.
2 4	*Hörer, der, -*	....	Gib mir den Hörer, ich will mit ihm sprechen.
2 5	*fremd*	....	Ich bin ganz fremd hier. Alles ist neu.
	Originalsprache, die, -n	....	Sie sieht die Filme oft in der Originalsprache.
	vorankommen, vorangekommen	....	Bist du mit der Arbeit gut vorangekommen?
2 6	*flüssig*	....	Es ist heiß. Die Schokolade ist ganz flüssig.
	schaumig	....	Das Bier ist schön frisch und schaumig.
2 7	*Regenschirm, der, -e*	....	Es regnet. Hast du einen Regenschirm?

elektro<u>n</u>isch	....	Er verkauft elektronisches Spielzeug.
Kl<u>a</u>ssiker, der, -	....	Dieses Lied von den Beatles ist ein Klassiker.

3 Mit 30 Fragen durch *studio d A2*

h<u>ö</u>chstens	....	Ich zahle höchstens 3 500 Euro für das Auto.
Sp<u>ie</u>lfigur, die, -en	....	Ich nehme die rote Spielfigur.
Sp<u>ie</u>lregel, die, -n	....	Habt ihr die Spielregeln verstanden?
w<u>ü</u>rfeln	....	Du musst zuerst würfeln.
St<u>a</u>rtfeld, das, -er	....	Das Startfeld ist hier oben links.
zur<u>ü</u>ckgehen, zurück-gegangen	....	Gehst du wieder zurück zu deinen Eltern?
rausschmeißen, r<u>au</u>s-geschmissen	....	Nein, die haben mich rausgeschmissen.
G<u>e</u>gner/in, der/die, -/-nen	....	Gegen welchen Gegner muss ich spielen?
chronol<u>o</u>gisch	....	Die Geschichte muss man chronologisch erzählen.

chinesisch .... Er hat eine chinesische Freundin.

4 Videostation 4

4 1 *Produktpalette, die, -n* .... Der Laden bietet eine große Produkt-palette an.

Body Lotion, die, -s .... Die Body Lotion ist gut für meine Haut.

überwachen .... Der Laden wird mit Kameras überwacht.

Produktionsanlage, die, -n .... Die Produktionsanlage ist sehr modern.

etikettieren .... Die Verkäuferin etikettiert die Produkte.

bestehen, bestanden (2) .... Unsere Firma besteht seit 60 Jahren.

Tochterfirma, die, Pl.: Tochter-firmen .... Es sind mehrere Tochterfirmen entstanden.

4 2 *Abschied, der, -e* .... Das war ein trauiger Abschied.

4 3 *texten* .... Wollen wir mal ein Lied texten?

4 4 d *mitten (in)* .... Ich wohne mitten in der Stadt.

Glasindustrie, die, -n .... Diese Region lebt von der Glasindustrie.

4 **4** e *Marzipan, das, ** .... Das beste Marzipan kommt aus Lübeck.

Rostbratwürstchen, das, - .... Wir grillen ein paar Rostbratwürstchen.

Lebkuchen, der, - .... Zu Weihnachten isst man Lebkuchen.

5 Magazin: Weihnachtsseite

Vorweihnachtszeit, die, * .... In der Vorweihnachtszeit kaufen die Leute Geschenke.

Adventssonntag, der, -e .... Am Adventssonntag brennen die Kerzen.

festlich .... Der Tisch ist festlich gedeckt.

Weihnachtsmarkt, der, "-e .... Wir gehen zum ersten Advent auf den Weihnachtsmarkt.

Tannenzweig, der, -e .... Tannenzweige werden geschmückt.

Adventskranz, der, "-e .... Auf dem Tisch steht ein Adventskranz.

Plätzchen, das, - .... Die Kinder backen Plätzchen.

Weihnachtsstollen, der, - .... Marlies backt leckeren Weihnachtsstollen.

Bescherung, die, -en .... Die Kinder freuen sich auf die Bescherung.

Festessen, das, -	....	Abends gibt es ein leckeres Festessen.
Bratapfel, der, "-	....	Isst du gern Bratäpfel?
braten, gebraten	....	Magst du gebratene Kartoffeln?
knallen	....	Der Schuss hat laut geknallt.
zischen	....	Die Flasche zischt, wenn man sie aufmacht.
auftischen	....	Ihr habt ein leckeres Essen aufgetischt!
Romantik, die, *	....	Unser Urlaub war voller Romantik.
Engel, der, -	....	Danke für die Hilfe. Du bist ein Engel.
Nussknacker, der, -	....	Den Nussknacker benutze ich nur in der Weihnachtszeit.
virtuell	....	Manche Computerfans leben in einer virtuellen Welt.
still	....	Hier in der Natur ist es ganz still.
wachen	....	Die Eltern wachen über ihr Kind.
traute	....	Das ist mein trautes Zuhause.
hochheilig	....	Maria und Joseph sind das hochheilige Paar.

hold		Sie hören die holden Engel singen.
Knabe, *der, -n*		Ein kleiner Knabe ist geboren.
lockig		Er hat lockige Haare.
himmlisch		Ich finde das Essen himmlisch. Ganz toll!
Entstehungsgeschichte, *die, -n*		Kennst du die Entstehungsgeschichte des Liedes?
ewig		Nein, aber das ist ja auch ewig lange her.
Hilfspriester/in, *der/die, -/-nen*		Er ist Hilfspriester in der Dorfkirche.
komponieren		Wer hat dieses Lied komponiert?
Melodie, *die, -n*		Die Melodie kennt doch jeder.
beeilen		Beeil dich, wir sind zu spät.
Gottesdienst, *der, -e*		Der Gottesdienst fängt um 10 Uhr an.
um die Welt gehen		Die Nachricht ging sofort um die Welt.